OTAGES

Du même auteur :

La Voyeuse interdite, Gallimard, 1991 ; Folio, 1993. Prix du
   Livre Inter.
Poing mort, Gallimard, 1992 ; Folio, 1994.
Le Bal des murènes, Fayard, 1996 ; J'ai lu, 2009.
L'Âge blessé, Fayard, 1998 ; J'ai lu, 2010.
Le Jour du séisme, Stock, 1999 ; Le Livre de Poche, 2001.
Garçon manqué, Stock, 2000 ; Le Livre de Poche, 2002.
La Vie heureuse, Stock, 2002 ; Le Livre de Poche, 2004.
Poupée Bella, Stock, 2004 ; Le Livre de Poche, 2005.
Mes mauvaises pensées, Stock, 2005 ; Folio, 2007. Prix Renaudot.
Avant les hommes, Stock, 2007 ; Folio, 2009.
Appelez-moi par mon prénom, Stock, 2008 ; Folio, 2010.
Nos baisers sont des adieux, Stock, 2010 ; J'ai lu, 2012.
Sauvage, Stock, 2011 ; J'ai lu, 2013.
Standard, Flammarion, 2014 ; j'ai lu, 2015.
Beaux rivages, Lattès, 2016 ; Le Livre de Poche, 2017
Tous les hommes désirent naturellement savoir, Lattès, 2018 ;
   Le Livre de Poche, 2020.

www.editions-jclattes.fr

Nina Bouraoui

OTAGES

Roman

JC Lattès

Maquette de couverture : Fabrice Petithuguenin.

ISBN : 978-2-7096-5055-7
© 2020, éditions Jean-Claude Lattès.
Première édition janvier 2020.

À Jean-Marc Roberts.

J'ai écrit *Otages*, pièce de théâtre, pour le Paris des Femmes, festival dédié aux auteurs féminins.

Elle sera interprétée par Christine Citti en 2015 au théâtre des Mathurins, par Marianne Basler en 2016 à Bonnieux chez Agnès Varda et à l'Opéra de Vichy puis par Anne Benoît et Tommy Luminet en 2019 à la Comédie de Valence et au Théâtre du Point du Jour à Lyon.

Le destin de mon héroïne ne cessant de se raccorder au chaos du monde, j'ai écrit une nouvelle version, inspirée puis échappée du théâtre en hommage aux otages économiques et amoureux que nous sommes.

Je m'appelle Sylvie Meyer. J'ai cinquante-trois ans. Je suis mère de deux enfants. Je suis séparée de mon mari depuis un an. Je travaille à la Cagex, une entreprise de caoutchouc. Je dirige la section des ajustements. Je n'ai aucun antécédent judiciaire.

Je ne connais pas la violence et je n'ai reçu aucun enseignement de la violence, ni gifle, ni coup de ceinture, ni insulte, rien. La violence que l'on porte en soi et que l'on réplique sur l'autre, sur les autres, celle-là aussi m'est étrangère.

C'est une chance, une grande chance. Nous sommes peu dans ce cas, j'en suis consciente. Je connais bien sûr la violence du monde, mais elle n'entre pas sous ma peau.

J'ai des poches de résistance, je suis faite ainsi : je sépare. Rien de mauvais ne peut me contaminer. J'ai bâti un château à l'intérieur de moi. J'en connais toutes les chambres et toutes les portes. Je sais fermer quand il faut fermer, ouvrir quand il faut ouvrir. Cela fonctionne bien.

La joie se construit. Elle n'arrive pas par miracle. La joie, c'est les mains dans la terre, la vase, la glaise, c'est là que l'on peut l'attraper, la capturer.

J'ai cherché la joie comme une folle, parfois je l'ai trouvée et puis elle s'est envolée tel un oiseau, alors j'ai fait avec, j'ai continué, sans trop me plaindre ou si peu.

C'est encombrant la plainte, pour soi, pour les autres. C'est vulgaire aussi et ça prend du temps.

Mon temps me semble compté, précieux. Je me sens si souvent emportée, bousculée, moi qui aimerais parfois regarder le ciel et les nuages qui passent, m'allonger dans les bois, fermer les yeux, sentir le feu de la terre.

J'aime la nature. Je crois en elle comme certains croient en Dieu. C'est le même sentiment, de plénitude, la même sensation, de grandeur, le même étonnement à chaque fois : le mystère des saisons qui se succèdent, la profondeur des océans, la force des montagnes, la couleur du sable et de la neige, le parfum des fleurs et des mousses en forêt, l'immensité qui nous rend si petits.

Je ne suis jamais tombée, jamais, même quand mon mari est parti, il y a un an. J'ai résisté. Je suis forte, les femmes sont fortes, davantage que les hommes, elles intègrent la souffrance. C'est normal pour nous de souffrir. C'est dans notre histoire ; notre histoire de femmes. Et ça restera longtemps ainsi. Je ne dis pas que c'est bien, mais je ne dis pas que c'est mal non plus. C'est aussi un avantage : pas le temps de se répandre. Et quand on n'a pas le temps, on passe à autre chose. Vite fait bien fait : on n'ennuie personne.

Il y a un an, quand mon mari m'a quittée, je n'ai rien dit, je n'ai pas pleuré, rien n'est entré, rien n'est sorti, comme pour la violence, le calme plat.

C'était un événement étranger alors que nous étions restés plus de vingt-cinq ans ensemble. C'est long vingt-cinq ans, très long. Toutes ces années sont faites d'habitudes, d'amour aussi, mais soyons sincères, d'habitudes surtout, de petites choses, mises les unes à la suite des autres. C'est un ruban que l'on déroule et qui n'en finit pas de se dérouler, on n'en voit pas la fin, mais il nous arrive d'y penser parfois à la fin, sans y croire vraiment.

Ce ruban porte une couleur. Pour notre vie avec mon mari, je choisirai la couleur jaune pâle. Ce n'était pas un soleil franc, plutôt sous nuée, ça roulait, mais quelque chose pouvait arriver à tout moment, la mauvaise surprise en somme. Je n'avais pas tort : un beau matin il s'est réveillé et il a dit : « Je m'en vais. »

Je n'ai pas répondu. Je suis allée dans la cuisine, j'ai préparé la table pour le petit déjeuner que nous avons pris avec nos deux garçons, comme si de rien n'était, puis je me suis douchée, très vite, comme d'habitude.

Quand je dis « très vite » c'est pour expliquer que je n'ai pas le temps non plus pour le plaisir. Pas le temps. C'est une erreur, le plaisir étant l'une des façons d'échapper au réel.

Il y avait un mur entre mon mari et moi. Un mur qui s'est construit peu à peu. Au début, c'était une petite ligne, puis une petite marche. On se voyait encore, tout en trébuchant quand on s'approchait l'un de l'autre.

La marche est devenue de plus en plus haute, chacun restant de son côté par peur de se blesser. Nos mains pouvaient encore se toucher, mais il fallait faire un effort. Le ciment s'est épaissi. Très vite, on ne s'est plus vus, plus regardés, plus sentis. Le mur était fait et il grandissait encore.

C'était fini, sans qu'on se le dise, mais au fond de nous, on savait. On sait toujours ces choses-là. On les redoute, mais on les sait. C'est faux de dire que l'on est surpris du départ de l'autre. Faux. Parfois, sans l'admettre, on l'espère, on le provoque et chacun de nos gestes mène à la chute. Et chacun de nos mots aussi. Le mur nous l'avons construit à deux. Nous y avons ajouté du sable, de l'eau, des graviers et du métal, pour qu'il soit bien compact et que rien ne puisse venir le rompre.

Ce jour-là, quand mon mari m'a annoncé qu'il s'en allait, je n'ai pas pleuré. C'était une nouvelle comme une autre que j'aurais pu intégrer aux nouvelles du jour : la courbe du chômage, le réchauffement climatique, la hausse des prix, la guerre. C'était à la fois important et pas du tout important. Cela faisait partie des affaires générales et non de mon intimité. C'était ça le plus étrange. Mon mari me quittait et j'avais l'impression qu'il quittait une autre femme. Je ne me suis pas sentie concernée ou si peu. Ce n'était pas vraiment lui et ce n'était pas vraiment moi. Il partait, mais le mur, lui, restait. Et je ne l'ai pas vu partir. C'était juste une phrase, comme ça, à l'exemple de : pense à acheter du pain, à payer la note EDF, à récupérer le pressing. Le langage n'est rien quand on ne veut pas comprendre. Les mots deviennent aussi légers que des bulles de savon qui s'envolent puis éclatent.

Après la phrase de mon mari, j'ai déposé le plus jeune de mes fils au collège puis je me suis rendue à la Cagex. J'ai pointé, rejoint ma section, j'ai contrôlé, les machines, les employés, qui arrivaient, un à un, mes abeilles.

Ce n'était pas une journée particulière, pas ordinaire non plus car j'avais bien à l'esprit que quelque chose s'était produit, que mon mari avait décidé de partir, mais cela ne me faisait pas trop mal, comme un caillou dans la chaussure, un caillou que l'on supporte car on n'a jamais le temps de le retirer ; alors on repousse, et on se dit « plus tard, plus tard », mais plus tard n'arrive jamais et on laisse le caillou et on n'y pense plus : il fait partie de soi.

En y réfléchissant bien, une chose est arrivée : j'ai changé de place dans le lit. Je ne me suis pas mise au milieu comme une autre femme l'aurait fait, non, j'ai pris son côté, le gauche : mon corps sur son corps qui n'était plus là, ma peau sur sa peau que je ne sentais plus contre moi, mon souffle mêlé à son souffle que je n'entendais plus, mon dos, mes reins, mes fesses au-dessus de lui qui n'était pas en dessous, mais parfois je pensais qu'il était là, tel un creux que je remplissais.

J'étais triste, sans l'admettre. Je crois que c'est à partir de ce moment que quelque chose s'est décroché de moi. Rien de grave, une sorte de fissure qui a pris son temps avant de s'élargir. Par cette fissure, tout est entré, doucement, avec méthode. Comme dans la nature, tout s'est répondu, équilibré.

Otages

Tout était logique, tellement logique. Et si cela ne l'était pas encore, ça allait le devenir, comme une explosion. Une explosion qui se prépare. La masse de travail à accomplir, la surveillance des employés, la peur du lendemain, les commandes à gérer, les clients perdus, ceux à séduire : tout s'est accumulé.

J'étais devenue la caisse de résonance de Victor Andrieu, mon patron. Il avait pris l'habitude de se confier à moi, enfin, *se confier* est un bien grand mot. Il n'y avait aucun sentiment dans ce qu'il me livrait. Pour moi les sentiments ont un lien avec la douceur. Je sais que je me trompe, mais c'est ainsi dans mon esprit. On dit bien « être sentimental », non ? Là c'était un éboulis de peur. Et moi je refuse de classer la peur parmi les sentiments, car la peur nous amoindrit, nous classe au rang des animaux. Je ne veux pas être un animal, au pire, je veux bien être un chien, mais le toutou de mes fils, pas celui de mon patron.

Victor Andrieu angoissait de plus en plus. Il n'arrivait pas à le cacher, à se tenir. Ce qui est une erreur pour un patron. Je le trouvais nul, faible. Il se plaignait, sans arrêt : ses nuits sans sommeil, les dettes, la pression, l'entreprise qui désormais l'écrasait. Il n'avait aucune compassion pour nous tous. Il se soulageait, voilà tout.

Sylvie, on est sous le chiffre là.
Sylvie, motivez les troupes.
Sylvie, je compte sur vous.
Sylvie, je suis étranglé.
Sylvie, l'État aura ma peau.
Sylvie, non, les patrons ne sont pas tous des salauds.
Sylvie, zéro bénéfice, zéro augmentation.
Sylvie, si je sombre, vous sombrez avec moi.
Sylvie, de la poigne, encore plus de poigne
Faites-vous respecter bon sang !
Sylvie, depuis tout ce temps, on est de la même famille tous les deux.
Sylvie, j'ai une entière confiance en vous.
Je compte sur vous.
Sylvie, vous les connaissez tous mieux que moi nos employés.
Sylvie, on est dans le même camp tous les deux.
Allons mon petit, on y va, on continue et on ne lâche rien.
Sylvie.

Les petites phrases de Victor Andrieu résonnaient comme le refrain d'une chanson. Au début, je n'y ai pas prêté attention. Je connaissais

22

par cœur sa façon de faire, de resserrer l'étau. Ce n'était plus un patron, mais un artisan de la cruauté. Il avait du talent pour ça. Il n'était pas question pour moi de choisir un camp. Je veillais au bon fonctionnement de la Cagex tout en restant sous l'autorité de mon patron, comme l'ombre du corps de mon mari qui restait sous le poids de mon corps la nuit.

Je respectais les hiérarchies.

J'ai toujours aimé mon travail et plus précisément, j'ai toujours aimé le travail, l'effort, la rigueur, la ponctualité, l'attention, la répétition aussi. Cela ne me fait pas peur. La répétition dans le travail me rassure. Je me sens vivante, utile. J'y trouve ma place qui n'est pas la meilleure des places, mais un endroit qui me permet de grandir, comme une plante avec ses minuscules ramifications. Je ne vois pas grand, je vois « tranquille » : ma paye, mon toit sur la tête, et surtout ma conscience pour moi ; bien dormir, pas trop de soucis.

Le travail c'est la possibilité d'être heureux, ou en tous les cas de se rapprocher du bonheur. Et même si le bonheur semble être un continent noir qui s'éloigne à chaque fois que l'on croit s'en rapprocher, j'aime y croire. Le bonheur c'est aussi la possibilité de l'imagination. Et moi j'adore imaginer. Par exemple, sans y jouer toutes les semaines, j'imagine que je gagne au loto. Je fais des calculs très précis – combinaisons, probabilités, divisant mon gain entre les personnes que j'aime (elles sont rares), les associations, le fisc. Je me vois très bien dans une maison plus grande, avec un beau jardin. Je ne lâcherai pas mon travail, mais je voyagerai, c'est certain. Je ne connais rien du monde. C'est frustrant de se dire qu'il reste tant de choses à découvrir, à parcourir, à adorer peut-être. Comment savoir si le pays dans lequel nous vivons est vraiment le pays qui nous convient ? Moi je ne sais pas, alors je rêve de dunes, de fjords, de pyramides, de sources miraculeuses, de vagues blanches comme le lait. Et je répète souvent dans la nuit ma formule magique : Kuala Lumpur, Oulan-Bator, Acapulco, Bora Bora / Kuala Lumpur, Oulan-Bator, Acapulco, Bora Bora.

Le travail c'est l'ancrage, le bateau à quai, la sécurité. Ce n'est pas *vogue la galère*, c'est là, concret. Je n'ai pas peur de l'effort, de la fatigue, du doute. Je me dis qu'il y a toujours une solution, que l'on se complique trop souvent la vie pour rien. Les gens adorent ça : se compliquer la vie pour rien.

Otages

Le travail c'est avoir un rôle, participer à la marche. C'est faire plusieurs tours de grande roue avec un seul ticket.

Je sais que c'est une vue de l'esprit, mais j'aime penser que nous sommes, nous tous les travailleurs, unis, ensemble, pour faire avancer les choses.

Je suis rentrée à la Cagex il y a vingt et un ans. J'ai gravi les échelons, un à un. Victor Andrieu avait entière confiance en moi. Je le lui rendais bien. Toujours à l'heure, attelée à la tâche, proche des employés, désignée déléguée syndicale puis superviseur de ma section – l'ajustement – primée en fin de mois, applaudie parfois aux réunions de fin d'année. Je savais faire le grand écart entre les salariés dont je faisais partie et la direction qui m'avait confié une forme de pouvoir invisible.

Je me faisais entendre sans crier, sans insister, sans menacer. Les filles surtout, les ouvrières, se voyaient comme moi. On était à égalité. Je n'ai jamais humilié, jamais. Les choses avançaient bien. On aurait toujours besoin de caoutchouc. On ne se sentait pas vraiment menacés, en dépit de la crise qui s'installait au fil des ans. Nous étions une structure saine. Les charges étaient de plus en plus élevées, mais on s'en sortait. Et puis je ne voulais pas penser négatif. Jamais. J'ai deux fils à nourrir moi, leur père est parti, il donne ce qu'il peut donner. Je ne lui en veux pas, du moins c'est ce que je croyais. Je sais qu'il ne faut pas tout mélanger, mais tout de même, il y a bien une cause à mon geste, le fameux déclic. Ce n'est pas venu comme ça, un beau matin, je ne me suis pas réveillée et je ne me suis pas dit : tiens cette nuit Victor Andrieu va payer l'addition d'un festin auquel il n'a jamais été convié.

Les choses ne surviennent pas d'un coup. On dit qu'elles mûrissent, moi je pense qu'elles se rangent par strates. Il y a un ordre. Ce n'est pas fou, c'est organisé, comme la vie. Je crois en l'enchaînement logique des évènements. C'est scientifique. Quand X arrive, Y n'est pas loin et Z n'existerait pas sans X et Y. Cela s'applique très bien à mon cas, très bien.

Mon mari est parti un beau matin, Victor Andrieu m'a mis de plus en plus la pression et un soir, tout naturellement, j'ai décidé d'exister d'une autre façon. D'exister en tant que femme plus libre que d'habitude. Cela peut paraître fou, mais ôter la liberté à quelqu'un a affirmé ma propre liberté.

Je n'étais plus vraiment libre. En tous les cas je n'en avais plus le sentiment. On n'est pas libre sans amour, sans désir, pas du tout. On est prisonnier de son corps. On est prisonnier des autres, de l'entourage. On est prisonnier du monde. L'amour c'est la liberté.

Mon mari est parti car il ne m'aimait plus. Il se sentait à son tour enfermé dans une histoire qui ne vibrait plus. Il est là mon X : le départ de mon mari. Quelque chose a creusé à l'intérieur de moi, sans bruit. Je n'avais pas de violence, mais quand mon mari est parti, elle est arrivée et elle portait un masque bien surprenant. C'est pour cette raison que je ne l'ai pas reconnue tout de suite. La violence était là, partout, infiltrée, au cœur de la nuit et au petit matin. Au fond de mes poches et sur ma peau, dans mon regard et dans mes rêves. Là, comme de l'encre. Elle prenait toutes les formes, toutes les textures, épousant l'espace, les manques, tout. Elle portait un nom, je le sais aujourd'hui, un nom qui coupe : elle s'appelait le silence. C'est sa forme la plus dangereuse. On pense toujours que le bruit c'est la violence, mais, non, pas du tout. Le bruit est une fausse violence. Le bruit c'est la vie, nerveuse, folle, qui bat, existe. Le bruit c'est le cœur et le ventre. Le bruit c'est la colère et le refus. Le silence était partout, en moi et en dehors de moi. Il était dangereux. Je n'y ai pas fait attention. Il ne me dérangeait pas car le silence n'est pas dérangeant, surtout après de longues journées de travail, autour des machines, des compresseurs, de ce qui chauffe puis réduit, de cette industrie, lourde, forte, sale, écrasante.

Quand je rentrais, le silence me recouvrait comme de la soie. Je m'y vautrais, seule dans mon lit, occupant la place vide. La violence me pénétrait. Je n'entendais plus mes fils, ni les mots, ni les voix, tout glissait sans rester. La violence poussait, poussait, poussait. Et elle a éclos d'un coup quand, un beau matin, Victor Andrieu m'a convoqué dans son bureau.

Sylvie, j'ai pris une décision.
Il y a quelque chose qui ne tourne pas rond ici et j'ai besoin de votre aide.
Vraiment.
Et de votre discrétion.
Vous savez à quel point je vous fais confiance ?
N'est-ce pas ?
Vous le savez Sylvie ?
Et j'ai une morale.
Si vous m'aidez, je vous protégerais.
C'est le contrat entre nous.
Je n'ai qu'une parole.
Ce qui est dit est dit.
La Cagex traverse une zone de turbulences. Au début, je n'étais pas très inquiet, mais, la zone s'est transformée en océan, vous comprenez ?

Tous les jours nous sommes soumis à des fluctuations très dangereuses.

Ce n'est plus un petit pas de travers, ce sont de gigantesques creux, des tsunamis si vous préférez.

J'ai beaucoup réfléchi.

Je suis un homme tranquille d'habitude.

J'ai cherché, de toutes mes forces, pesant le pour et le contre, faisant le tour des éventuels investisseurs.

Plus de crédit possible, oublions les banques. D'ailleurs, elles ne croient plus en nous. Les banques.

Comment dire ?

C'est à la fois si simple et si compliqué Sylvie. Je les déteste.

Vraiment.

Comme on pourrait détester une femme qui ne veut plus de vous.

C'est sexuel l'argent vous savez, non, vous ne savez pas et d'ailleurs je m'égare, là n'est pas le sujet de notre conversation.

Il y a les dominés et les dominants.

C'est ça l'argent, la logique de l'argent.

Elles nous tiennent comme ça les banques. Donc j'ai réfléchi, et je ne vois qu'une solution.

Elle est dure, mais obligatoire.

Pour l'instant je ne peux pas réduire nos coûts. C'est impossible.

Le climat économique actuel ne m'en donne pas la possibilité.

Et quand on ne peut plus rien du côté des chiffres, on s'attaque à l'autre versant.

C'est rude, mais je ne vois aucune autre solution.

Alors, oui, on s'attaque aux hommes.

Je sais ce que vous allez penser, je le sais et moi aussi j'y ai pensé et ça m'a fait mal au cœur, croyez-moi.

Tout est clair à présent, vraiment, en vue d'une prochaine charrette nous allons devoir faire des choix.

Et c'est là que vous intervenez, ma chère Sylvie.

Je vais vous demander de constituer des viviers.

Je m'explique : un vivier est une niche.

C'est une belle image, non ?

Réconfortante je trouve.

Plus qu'un nid, moins qu'une section, une petite chose de rien du tout qui rassure, qui est là, dans laquelle on croit et se replie.

Et vous allez avoir un rôle Sylvie. Un magnifique rôle.

Celui du chef d'orchestre qui donne la note, le mouvement et plus encore : la meilleure des notes et le meilleur des mouvements.

Ce n'est pas rien vous savez.

J'ai donc décidé que vous alliez remplir cette niche.

Oui, vous, Sylvie, et personne d'autre. Mon petit chef d'orchestre.

Je vous explique.

Je veux, parmi tous nos employés, que vous trouviez celles et ceux qui nuisent ou pas à la Cagex.

Qui sont les plus forts, qui sont les plus faibles ?

Qui travaille sans compter ?

Qui arrive en retard ?

Qui peut s'adapter, qui n'y arrivera pas ?

Qui est l'élément perturbateur ?

Qui ne va pas au maximum de ses capacités ? Qui s'économise ?

Qui a un désir d'évolution ?

Qui sabote ?

Je veux un classement.

C'est ça un vivier. Vous comprenez Sylvie ?

Oui je sais que vous comprenez.

Vous êtes une femme intelligente et bonne, c'est si rare la bonté de nos jours, chacun avance pour soi sans penser aux autres.

Et pourtant, les autres c'est la réussite.

On n'est rien tout seul.

Rien.

Et moi je ne suis rien sans vous, rien.

Nous allons gagner tous les deux, je le sais. Vous imaginez ?

Faire équipe ensemble.

Des pompiers, c'est ça, nous serons des pompiers qui sauvent la maison en feu.

Je vous tends la main, prenez-la.

J'ai obéi. J'ai traqué, enfoncé. J'ai fait des listes, établi des catégories. J'ai constitué les viviers. Je n'aimais pas, au début, mais je m'exécutais, main dans la main avec Victor Andrieu.

J'ai épié, entendu, souligné. J'ai interrogé, sermonné. Un vrai flic. J'étais là, mais ce n'était plus moi. La fissure est devenue un énorme trou. Tout rentrait. La violence avait tout envahi. Je répondais à ses ordres, les devançais. Je suivais son système, en inventais un autre, encore plus performant. Ils étaient beaux mes viviers, du grand art. J'étais fière de moi, fière de ma méchanceté. Je devenais pire que mon patron et je n'évitais même pas les miroirs. Je me regardais dans les yeux, et je me disais « c'est bien Sylvie, continue comme ça, suis ta ligne, ta trajectoire, tu t'es fixé un but, tu vas l'atteindre et si tu crois l'avoir atteint un jour, persiste, car

dans la vie on est jamais arrivé, jamais, ça c'est
pour les ratés, pour ceux qui se plaignent ou
qui ont des scrupules, toi tu es la meilleure, tu
sais où tu vas, personne ne pourra t'empêcher et
tant pis si tu perds tes amies, parce que oui, tu
en avais des amies à la Cagex, mais finalement,
est-ce que c'étaient de vraies amies pour toi ?
Elles prenaient du temps pour te parler, pour
savoir si tu allais bien ? Et tes fils, elles te deman-
daient des nouvelles de tes fils ? Non, toujours à
geindre, un petit jour de congé par ci, une petite
augmentation par là ; tu crois que c'est ça l'amitié ? Hein ? D'ailleurs tu n'en as plus trop d'amis.
C'est vrai, depuis que ton mari est parti, on t'appelle le soir ? On t'invite aux apéros ? Même tes
voisins sont gênés. Et tes copines d'enfance ?
Plus rien. Une femme seule est une menace pour
les autres femmes. C'est la loi du troupeau. La
brebis égarée on ne va pas la chercher, on l'aban-
donne. Finies les petites balades du dimanche.
Finies les confidences aussi. Tu n'es plus dans
leurs vies, car tu n'es plus dans la vie normale.
L'amitié n'existe pas. Il y a toujours un intérêt,
un truc caché. Alors si ce n'est pas toi qui fais le
sale boulot, on le fera à ta place et personne ne
sera indulgent avec toi, personne. L'indulgence
c'est quand on aime et dans une entreprise il n'y
a pas d'amour : juste du profit, de la sécurité, car

on en est tous là, on a tous peur de finir dans la rue et d'y crever et la rue, c'est ce qui t'attend si tu n'obéis pas à Andrieu. Après tout il te rend un sacré service. Il est ton allié. Et t'as un beau regard quand je te regarde, car tu es du bon côté. Le côté des gagnants. Tu l'as mérité. Tu as bien travaillé pendant toutes ces années. À toi de chasser les couleuvres qui ne font rien ici. Rien, à part attendre tes faveurs. Rien, à part couler la boîte. Et la Cagex c'est un peu ton bébé Sylvie, non ? Ne l'oublie jamais, tu es une vraie maman. Alors c'est fini la gentillesse. La souplesse. Fini. Chacun pour soi. Et toi pour toi ».

Je me suis sentie perdue et c'est arrivé.

C'était un matin de novembre. La nuit dévorait encore le jour. Le mois des morts me ramenait à mon enfance que je comparais à un territoire indestructible, avec ses falaises et ses plaines paisibles, ses bonheurs et ses chagrins.

Je me méfie des gens qui ne pensent jamais à leur enfance. Heureuse ou malheureuse, grise ou saturée de lumière, une enfance ne s'oublie pas. On ne coupe pas les racines d'un arbre qui fleurit encore.

Des images de mon père surgissaient, il me tenait sur ses épaules, torse nu, souriant à l'objectif de l'appareil photo que brandissait vers nous ma mère quand ils étaient encore vivants ; mes trois sœurs et mon frère en arrière-plan, en maillot de bain, sur la plage, à marée basse : mon père disait qu'il fallait aller chercher la mer, phrase qui me peinait car je pensais qu'il parlait de notre mère à nous et qu'il l'avait déjà perdue, comme si les hommes et les femmes n'étaient pas faits pour s'entendre. Je n'assistais à aucune de leurs disputes. Je les savais malheureux chacun de leur côté, épuisés par le travail, les soucis qui ne laissaient aucune place à la légèreté sauf pendant cette semaine de vacances que nous passions tous ensemble, faisant semblant d'être une famille unie.

Je ne les ai jamais vus s'embrasser, se serrer dans les bras. Je ne les ai jamais entendus se dire « Tu es belle, tu me plais, tu m'as manqué, ne rentre pas trop tard, mon chéri, mon amour, j'ai besoin de toi ». Je n'ai jamais vu mon père offrir de fleurs à ma mère. Je n'ai jamais vu ma mère se cacher dans ses bras, danser avec lui, rire d'un secret.

Jamais.

Je pensais à cela ce matin de novembre, faisant le constat que moi non plus je n'avais pas su aimer mon mari. Mes parents sont restés ensemble jusqu'à la fin. On ne divorçait pas à cette époque. Prisonniers non de l'amour mais de la fin de l'amour. Chacun fait comme il peut. Comment adorer toute une vie ? Comment être sûr de l'autre pour toujours ?

Otages

Mon père me disait souvent que je ne devais faire confiance à personne. Que les gens étaient ingrats et que cette ingratitude était la pire des misères. Il me disait aussi de bien travailler, de ne pas dépendre d'un homme, d'avoir un vrai métier, de ne pas me faire humilier au travail comme il l'avait tant de fois été dans le sien. Je n'ai jamais oublié. Jamais.

Il y a deux sortes d'individus. Ceux qui gagnent et ceux qui perdent. J'ai parfois cru gagner pour endormir ma conscience, mais j'ai perdu beaucoup et le peu qu'il me restait, je l'ai détruit.

Mes fils étaient chez leur père pour les vacances. J'étais seule, sans tristesse. Il y avait cette force en moi, nouvelle. Je la sentais dans le ventre puis à la gorge, comme si une main serrait sans jamais lâcher sa prise. J'étouffais un petit peu, ce n'était pas désagréable. Le sang circulait d'une autre manière, me donnant de légers vertiges.

J'avais le sentiment d'être en biais de mon propre corps tout en l'occupant encore. Pour une fois, j'ai pris mon temps sous la douche.

L'eau glissait sur ma peau, chaude et savonneuse me procurant un plaisir délaissé depuis trop longtemps. Il était là mon corps, sous ma main, doux, fort, prêt à recevoir le désir d'un autre. Mais il n'y avait pas d'autre. Je me suis caressée et rien n'est venu. C'était mort sous ma chair. Foutu. J'ai senti de la colère en moi. Pas contre moi, en moi. Contre mon mari aussi. Je me suis dit qu'il était parti avec le meilleur : ma jeunesse, mes seins, mes fesses, ma taille, mon énergie. Je n'avais pas envie d'un autre homme. Je voulais juste de moi et je n'arrivais pas à me satisfaire, à me faire jouir. J'étais devenue mon inconnue.

J'ai choisi un chemisier blanc, un cardigan clair et chaud, une jupe beige, des chaussures rouges et mon grand manteau noir. Je me sentais bien. Comme si j'allais partir en voyage. Un voyage sans retour vers un pays mystérieux. Je suis restée plus longtemps que d'habitude devant la fenêtre de la cuisine, tout était calme alentour, les jardins encore endormis, la brume épaisse comme une toile posée sur les arbres sans feuilles. Je me suis servi un café, puis je me suis assise sur la table fixant les couteaux qui traînaient sur le plan de travail. J'ai choisi le plus tranchant, ni trop long, ni trop court. Je l'ai glissé dans mon sac à main en prononçant cette phrase : « Au moins, j'ai ça pour moi. »

Aujourd'hui je sais le vrai sens de cette phrase. Elle ne s'appliquait pas seulement au couteau. Elle signifiait autre chose. Ces choses qui n'apparaissent pas immédiatement et que l'on ne sait pas saisir. Ces choses qui restent en soi à l'état de sédiment et qui remontent un jour, dans un flot que l'on ne peut endiguer. Ces choses accumulées au cours d'une vie. Ces choses qui composent un être, sa vraie nature. Avoir « ça » signifiait avoir décidé « ça », même si à cet instant précis je n'avais encore rien décidé.

Je suis montée dans ma voiture et j'ai roulé dans le sens opposé à la Cagex. Je me sentais toujours en biais, mais contente de moi, comme si j'avais gagné un concours et que j'allais chercher mon lot. Je me sentais heureuse à vrai dire, satisfaite. Cela ne m'était plus arrivé depuis des mois. À la radio, il y avait cette chanson d'Alain Barrière :

Tu t'en vas / comme un soleil qui disparaît / comme un été, comme un dimanche/ j'ai peur de l'hiver et du froid/ J'ai peur du vide de l'absence / tu t'en vas/ et les oiseaux ne chantent plus/ le monde n'est qu'indifférence.

J'ai chanté à tue-tête, les vitres baissées malgré le froid. C'était si bon. C'était de moi dont il s'agissait dans la chanson. Je partais, loin, loin de tout. Je voulais tout quitter, tout laisser en plan. Disparaître, comme dans les histoires qui font peur. Faire le coup des allumettes : elle est partie et elle n'est jamais revenue. Sauf que ce sont les hommes qui partent, rarement les femmes, à cause des enfants sans doute, de ce fameux cordon que l'on n'aura jamais le courage de couper. Les hommes sont plus libres, dès le début. Ils n'ont pas cette histoire de chair qui les lie à tout jamais à leur progéniture. C'est cela qui fait la différence entre nous.

Mon mari a toujours voulu avoir des enfants. Il disait *ils seront à l'image de nous deux,* phrase idiote. Un enfant possède sa propre image, unique, indivisible. Le reste c'est de l'ego ou du romantisme. Dans les deux cas c'est du toc. Et puis parfois un enfant ne prend que d'un seul parent. C'est comme ça. La nature est pleine de surprises.

Mes fils sont comme moi, un peu étranges, un peu absents. Je les aime pour ça mes garçons. Ils ne seront jamais dans le moule, ils sont à part, mais pas trop non plus, ce ne serait pas bon pour eux. On le sait ça. Notre époque déteste la différence. Tout doit rester bien lisse, en ordre, sinon c'est mort, pas de chance de réussir, d'être accepté.

Il nous arrive de nous embrasser avec mes fils, mais c'est rare. Je ne suis pas douée pour la tendresse, eux non plus. Je suis une bonne mère, je veille au bien-être, à la sécurité, au plaisir, mais les baisers c'est pas mon truc.

Je me suis mariée à la mairie le dernier jour de juin. J'avais vingt-huit ans. Mon mari ne voulait pas entendre parler d'église. Je le regrette. Je suis sûre que l'on réfléchit à deux fois avant de partir quand on s'engage devant Dieu.

Parfois j'y crois, parfois non. J'aime l'idée qu'il soit là, au-dessus, ou à côté de moi. Mon mari détestait quand j'en parlais. Il disait : *Demande-lui à ton bon Dieu pourquoi nous on trime comme des damnés ? Demande-lui comment il a partagé le gâteau ? Pourquoi il ne nous reste que les miettes des autres ?*

Alors non, pas d'église, pas d'orgue, pas de serment, pas de photo en haut des marches, pas de cinéma, moi qui aime tant le cinéma, enfin, le cinéma qui passe à la télé, les comédies romantiques surtout, celles qui sont si bien faites que l'on se dit que l'amour existe quelque part, qu'il ne faut pas désespérer, qu'un jour on le trouvera, car chacun trouve chaussure à son pied.

On avait choisi de faire le banquet dans un jardin. Une grande table, à la campagne, dans la ferme d'un ami. Je portais une robe blanche, en satin, près du corps, évasée à partir de la taille. Je la trouvais sublime ma robe, je me sentais belle.

J'ai connu des mariées qui ont eu des regrets dès le jour de leur mariage. J'en connais d'autres pour qui l'amour s'est évaporé au bout de quelques mois comme de la fumée, à cause du poids de la famille, des amis. Quand on se marie, tout le monde s'en mêle et vous n'avez vraiment pas intérêt à décevoir, sinon le grand « tribunal social » saura vous dresser le plus impitoyable des procès. Je me sentais épanouie, ni doute, ni peur, je trouvais mon mari séduisant, même si on n'arrivait pas à être toujours très proches, la timidité sûrement, mais il me rassurait, bien bâti, sérieux, fidèle j'en étais certaine, ça se sent ça chez un homme, tout de suite, et cela m'a fait d'autant plus de peine quand il est parti.

C'était un beau jour. Je me sentais protégée par le ciel bleu, si bleu. Nous étions nombreux. Les rires se mélangeaient, le vin coulait, c'était bon, de se sentir ivre, le feu aux joues, les jambes en coton, dansant dans l'herbe fraîche.

C'était une jolie fête, aucun nuage à l'horizon, nos familles semblaient s'entendre, nos amis aussi. Il était là le bonheur, bien là. Pas un immense bonheur, mais un bonheur quand même, une trêve qui n'a pas duré longtemps. J'avais retiré mes chaussures pour danser. Je passais de bras en bras. On venait m'embrasser, me féliciter. Mais de quoi au juste ? Oui de quoi ? D'avoir rencontré un homme, pas trop mal, travailleur, moins pire que les autres, mais qui semblait interchangeable, comme moi je l'étais aussi. Nous n'avions rien d'unique et nous nous en contentions. Et cela m'a soudain rendue triste. Nous n'étions ni marginaux, ni exceptionnels, juste des petits points parmi les millions de petits points qui tournoyaient en France sous le soleil de juin.

Je me suis assise dans l'herbe. Et c'est là que j'ai su. Que j'ai senti. Le mauvais présage. Ce n'était pas le vin, ce n'était pas le petit bonheur qui était tout de même assez grand pour monter à la tête, ce n'était pas la chaleur de l'été qui arrivait, ce n'était pas la musique ni les cris de joie des enfants, non, c'était infime et ça prenait tout : j'avais une tache de cerise sur ma robe. Une tache rouge qui absorbait l'intégralité du jour de mon mariage. Plus je la fixais plus elle semblait s'agrandir. Je l'ai frottée avec un

49

torchon mouillé, du savon. Elle n'est pas partie. Et je savais qu'elle ne partirait jamais. Et même si j'avais réussi à la faire disparaître, elle reviendrait. L'ombre au tableau. La tache qui ruine tout. Le signe d'une catastrophe. Voilà ce qu'était mon mariage, une robe en satin sur laquelle une petite cerise était venue se coller pour me prévenir.

Mon mari a voulu m'embrasser, pressant ses lèvres sur mon cou, il avait bu, lui aussi, comme nous tous, je le sentais excité, pressé, un peu fou, je l'ai repoussé, seule la tache comptait.

Ce jour de novembre, je conduisais de plus en plus vite. Puis je me suis arrêtée, j'ai quitté mon siège, j'ai fumé une cigarette sur le bas-côté de la route. Aucune voiture n'est passée, à mon grand regret. J'avais besoin de parler, à n'importe qui, un homme, une femme, un jeune, un vieux, parler, pas au téléphone, pas à demi-mot comme j'avais pris l'habitude de le faire avec mon mari depuis son départ ; non une longue conversation, sur tout et n'importe quoi, pour me sentir regardée, écoutée, entendue enfin. C'était plutôt triste et j'ai compris, admis, que je n'allais vraiment pas bien.

J'ai repris la route, je conduisais moins vite, j'avais peur d'avoir un accident, peur pour mes fils, pas pour moi. Le jour semblait ne jamais s'être levé, retenu par la terre de novembre. Les champs formaient des escortes dans ma course sauvage : je n'avais aucun but.

J'ai pensé aux viviers de Victor Andrieu et je me suis dit que j'étais dans le plus mauvais d'entre eux : de ceux et celles qui cachent bien leur jeu. J'ai fait demi-tour et je me suis rendue à la Cagex. Je savais que Victor Andrieu restait tard, à faire et refaire ses comptes, à scruter mes listes, cherchant les mauvaises graines, les *nuisibles* comme il avait pris l'habitude de les appeler.

Je me suis garée près des hangars, j'ai remonté l'allée qui menait à une petite porte dont j'étais la seule à posséder la clé. J'ai gravi deux étages à pied, empruntant l'escalier de secours prévu en cas d'incendie. J'ai ouvert une seconde porte, j'ai longé le couloir du pôle administration et comptabilité. Son bureau était allumé, je savais qu'il était là, seul, l'entreprise fermant ses portes à dix-huit heures. Quand je suis entrée, il a levé la tête et hurlé :

Bon sang Sylvie, vous arrivez d'où là ? Vous vous prenez pour qui ?
On vous cherche depuis ce matin.

Ce n'est pas un moulin ici, vous avez perdu la tête ou quoi ?

Vous auriez pu prévenir ?

Je rêve là, vraiment je rêve.

Je vous ai laissé des dizaines de messages.

Et vous savez quoi ?

Je n'étais même pas inquiet Sylvie, même pas. Je suis très en colère.

J'ai dû m'occuper de toutes les livraisons. Vous pensez que je n'ai que ça à faire ?

Non, mais vraiment, comme si c'était le moment ?

J'espère que vous avez une bonne explication car je vous préviens tout de suite, on ne va pas en rester là.

Si vous décrochez tout le monde va décrocher.

C'est une question de responsabilité.

Vous comprenez ce mot : RESPONSABILITÉ ?

Et pas la peine de me regarder avec ces yeux-là.

C'est fou quand même.

Vous étiez censée donner l'exemple non ?

Et puis autre chose aussi, c'est n'importe quoi vos listes.

Au début c'est très clair, puis je ne comprends plus rien.

C'est quoi cette écriture ?

Ces ratures ? Ces flèches et ces points d'interrogation ?

Comme si on avait le temps d'hésiter, de douter.

Une gamine de dix ans serait plus concise.

Je comprends, vous avez des problèmes personnels, et d'ailleurs je vous ai toujours dit que vous pouviez m'en parler, que je serai conciliant pour un congé, un peu de repos, mais non, madame se croit plus forte que les autres, invincible.

Eh bien madame se trompe apparemment.

J'ai toujours été là pour vous non ?

Non ?

Je ne supporte pas les gens qui ne disent rien. Je ne supporte pas ça.

C'est important de parler.

Moi je vous ai tout dit, j'ai joué cartes sur table avec vous, toujours.

Je pensais que l'on était solidaires.

Vraiment.

Et là je me rends compte que je ne peux absolument pas vous faire confiance.

Vous savez quoi ?

Ne dites rien. Surtout pas.

Parce que je crois que je ne peux rien entendre de vous aujourd'hui.

Je suis déçu. Déçu Sylvie.

Déçu et très étonné aussi.

Alors sortez de mon bureau maintenant.

On en parlera demain.

Ce soir j'ai besoin de calme.

Rentrez chez vous et cherchez dans votre petite tête de linotte une bonne explication à me donner.

Et puis arrêtez de jouer les grandes dames.

Ici vous êtes comme les autres.

Otages

Dans le même panier.
Moi je protège les gens sérieux.
Pas les cinglées. Parce que pardon, c'est ça le mot
qui me vient à l'esprit quand je vous regarde, une
cinglée.
Vous avez vu votre tête ?
Vous avez pleuré ou quoi ?
Cinglée et chialeuse en plus.
Tout ce que je déteste.

Je ne suis pas partie, en effet, je devais être cinglée, Victor Andrieu avait raison. C'était ça mon problème, cinglée. Je me suis assise, prise à nouveau de vertiges. Il a fait comme si je n'étais plus là. J'ai posé mon sac sur les genoux. Je l'ai ouvert. J'ai gardé mon manteau. Je n'ai donné aucune explication. Je n'y arrivais pas. J'avais tant envie de parler pourtant, sachant exactement ce que je devais lui dire. Exactement. Comme une pelote de laine que l'on déroule : « Je vais t'expliquer ce qui m'arrive mon vieux. Tu me permets de t'appeler mon vieux ? On se connaît depuis si longtemps tous les deux. On en a passé des heures ensemble ; si je fais l'addition de tous nos instants, tu dépasses mon mari en termes de présence. J'exagère un petit peu, mais je ne suis pas loin de la vérité, et tu sais combien la vérité est importante pour moi. Et tu le sais tellement bien que c'est à moi que tu as demandé de faire le sale boulot. La petite Sylvie répond toujours présent. Je ne suis pas petite d'ailleurs. Non vraiment pas, contrairement à toi le minus. C'est fou ça, quand j'y pense : passer plus de temps avec son patron qu'avec son homme. C'est illogique et finalement pas humain du tout. On a tant besoin des gens qu'on aime, pas de ceux qui nous font travailler. Et tu sais pourquoi mon vieux ? Le travail est important, je l'ai toujours considéré, respecté et j'ai toujours eu conscience de ma chance aussi, mais il y a toujours ce truc qui me chiffonne, non, pire, qui me blesse. Blesser est un mot fort, puissant, et tu me connais, je n'ai pas beaucoup d'éducation, mais j'ai toujours eu le mot juste, on dit "avoir le sens de la formule" je crois, c'est mon petit don à moi, le seul d'ailleurs, mais j'en suis assez fière. Blessée donc. Pourquoi ? Parce que le travail, c'est quand même de la soumission. On a beau dire, mais il y a un truc qui cloche. Bien sûr, au bout du travail il y a le salaire, et avec le salaire il y a la liberté ; mais une liberté si limitée si on fait la balance. Tu comprends ? Quand j'étais enfant, j'aimais jouer avec la balance de ma grand-mère. Elle était en cuivre avec deux plateaux et je pesais des haricots secs, une poignée par ci, une poignée par là. Je jouais à la marchande, un peu comme toi aujourd'hui. Tu veux vraiment une explication ? Je n'en ai pas, ou alors, si, des tonnes, mais je ne pense pas que tu puisses comprendre. Tu veux savoir "ce qu'il me prend" ? Mais elle signifie quoi cette phrase Victor ? Je ne la comprends pas. Tu dis que je suis cinglée ? Tu as peut-être raison. On a chacun une part de folie. Je suis sûre que toi aussi. Ce serait quoi d'ailleurs ? Les gamines ? Les trucs un peu glauques sur internet ? Les putes ? Je ne te juge pas tu sais. Je ne suis pas comme ça, mais tu n'en as aucune idée. Tu ne me connais pas Victor. Tu ne sais rien de moi. Et tu ne sais même pas de quoi je suis capable. Tu vois, j'ai un couteau dans mon sac. Tout de suite ça fait mauvais film hein ? Et non ça n'arrive pas qu'aux autres. Pour l'instant je n'ai rien décidé, mais je ne vais pas te lâcher. J'ai un truc à régler avec toi. Un truc qui m'encombre. Qui ne passe pas. J'ai envie de te faire peur. Que tu connaisses ça. Pas une petite trouille de rien du tout. Non, la vraie peur. Celle qui empêche de respirer. Qui réveille tard dans la nuit. Qui empêche d'avancer, de courir. Celle qui détruit la confiance et l'amour. La peur que tu n'as jamais ressentie. Tu sais ce que c'est toi la peur de manquer ? De tout perdre ? De ne plus pouvoir regarder les autres dans les yeux ? De se retrouver sans rien ? La peur d'être mort sans mourir ? Je t'en veux Victor. Tu n'imagines même pas à quel point je t'en veux. Je t'en veux parce que tu as détruit mon mur. Pas celui qui me séparait de mon mari, non, ça c'est mon affaire, l'autre, le mur que personne n'a le droit de faire tomber. Le mur qui sépare le bien du mal. Avant, je me tenais du bon côté. Je n'étais pas parfaite, j'avais mes défauts, mais j'avais ma conscience. Je traçais, ou plutôt je marchais sur une ligne qui me semblait droite, pas un petit chemin biscornu qui mène vers des lieux biscornus, une bonne ligne bien droite – naissance-école-travail-mariage-famille, et ça jusqu'à la mort, sans faire de mal, ou en essayant d'en faire le moins possible. Et puis tu m'as fait du chantage, mais ce n'est pas ça le plus grave, non vraiment pas. Le plus grave c'est que tu m'as donné le goût du pouvoir, du vrai pouvoir. Celui qui permet de détruire ou de sauver quelqu'un. Celui qui donne des ailes le matin. Celui qui vous grandit. Celui qui vous renforce. Celui qui vous fait croire supérieur. Cela ne dure pas longtemps, juste assez pour y croire. Et j'ai trouvé ça grisant. Et pire encore, ça m'a excitée. J'adorais. J'y pensais tout le temps. Et tu sais pourquoi ? Parce que j'ai cru que j'avais gagné en dignité. J'étais devenue quelqu'un, j'existais, alors que c'était tout le contraire. Je suis devenue une

moins que rien. Je suis devenue ce que je déteste
chez les autres, ceux qui profitent du malheur et
qui en tirent satisfaction. Tu croyais me rendre
heureuse, forte. Tu t'es trompé. Tu m'as trom-
pée. Moi j'aime le vent dans les arbres et avoir
les pieds nus dans mes chaussures. Moi j'aime les
chansons douces et regarder mes fils et me dire
que je suis fière de leur avoir appris le respect.
J'aime quand le temps s'arrête et pouvoir me
dire, – oui là ça va, c'est bien, c'est bon, ce n'est
pas merveilleux, mais on s'en sort, car on n'a
rien fait de mal, on n'est pas coupables. Toi tu
as détruit ce fil. Il était si fin que tu ne pouvais
pas le voir. C'était le fil de ma toile. J'ai pris tant
de temps pour la tisser. Je t'en veux parce que tu
n'as pas compris mon bonheur. Il était médiocre,
mais il existait. »

Mais aucun mot n'est venu. J'ai regardé Victor
Andrieu puis j'ai baissé les yeux. Nous savions
tous les deux que quelque chose arrivait. C'était
la nuit dans ma tête, comme si j'avais mélangé
l'extérieur avec l'intérieur de moi-même.

Il ne me reste que peu de souvenirs de cette nuit-là, avec Victor Andrieu, peu d'images, peu de sentiments, à part celui d'avoir été gagnée par l'obscurité, mais une obscurité que je n'avais jamais ressentie auparavant, ou alors, si je sais, oui, je sais quand, mais je ne peux pas le dire tout de suite, c'est trop tôt pour moi, trop violent aussi, et je crois que j'en ai assez de cette violence, c'est comme des brassées de sable en plein visage à chaque fois, et ça fait mal le sable sur la peau, dans les yeux, c'est insupportable, et moi j'en ai assez d'avoir mal, je ne mérite pas ça, non vraiment pas.

Je ne veux pas passer pour une victime, ce n'est pas mon genre, et je déteste le rôle de la victime, trop passif, moi je suis une femme forte, je l'ai déjà dit, et ce truc avec Andrieu n'est pas du tout un aveu de faiblesse, bien au contraire, j'ai voulu lui montrer que l'on ne pouvait pas toujours écraser les plus démunis, je pense à mes petites abeilles quand je dis ça, qu'un patron ne peut pas tout se permettre, non, ce n'est pas vrai, le pouvoir n'est pas au-dessus des lois, et encore plus, pas au-dessus de la morale, car c'est ça qui m'a choquée dans cette histoire de vivier, c'est la morale : l'histoire d'un type derrière son bureau qui est au-dessus des hommes et des femmes, qui se permet de les piétiner, de jouer avec leurs nerfs, de les humilier même, oui, car c'est toujours de l'humiliation de douter du travail des autres et pire c'est une mise en péril en fait, le doute c'est un petit coup de canif à chaque fois, et au bout de cent petits coups de canif, c'est simple, on crève.

On ne crève pas en vrai, on tient toujours debout, on se réveille, on se lave, on se nourrit, on conduit les enfants à l'école, on pointe, on se met au travail, mais à l'intérieur de soi c'est mort, et tous les gestes aussi deviennent morts, et finie la performance, on se sabote : on a été mis en péril.

C'était ça que je voulais dire à Victor Andrieu, juste ça, relever cette injustice-là, il avait usé de son pouvoir pour tuer les autres, les braves gens. Je ne voulais pas lui faire de mal, juste lui faire peur et surtout qu'il comprenne. Il était du bon

côté de la barrière et je ne dis pas ça que pour le
pouvoir ou l'argent, non, il était du côté de l'instruction, et quand on a reçu une instruction, il
me semble évident que l'on a reçu une morale,
c'est le package, ça va avec, enfin, moi ça me
semble logique même si je me trompe mais j'aurais toujours plus d'indulgence pour un ignare
qui devient un salaud que pour un type instruit
qui devient une ordure, c'est comme ça, même
si dans les deux cas la saloperie est inadmissible ;
mais il y en a une qui peut se comprendre, sans
l'accepter bien sûr, ni l'excuser, mais il y a une
raison dans le premier cas, alors que dans le
second, l'instruction est une sorte de circons-
tance aggravante, pas de pardon pour ceux qui
savent, qui ont été protégés, dont on a bien
balisé le chemin dès l'enfance, qui n'ont manqué
de rien, et attention, je ne veux pas dire que tous
les patrons sont des enfoirés, pas du tout, mais ils
doivent être exemplaires et justes et Andrieu ne
l'était plus du tout, il s'est perdu dans sa grande
cape de super patron, il a menti, car moi je les
connais bien les comptes, il a juste voulu faire
un petit peu plus de profit sur la tête des uns et
des autres au nom de cette crise qui a le dos de
plus en plus large ces temps-ci : oui la crise, c'est
devenu le truc à la mode, la crise mondiale, la
crise générale, la crise économique et financière,

alors que nous la crise elle a planté son piquet au fond de nos âmes, on la connaît depuis longtemps cette crise, la pire : la crise d'angoisse, celle qui paralyse dès l'aube car on ne saura pas de quoi demain sera fait, qu'on a peur d'aller bosser, parce que ce ne sont plus de bonnes conditions de travail et que l'on redoute la phrase fatale : compression du personnel, désolé, bye bye, solde de tout compte, je ne peux plus rien faire pour vous, pas d'arrangement possible, passez à la compta, ne m'en voulez pas, je ne peux pas faire autrement. C'était cette phrase aussi qui me rendait folle : je ne peux pas faire autrement.

Moi je pense que l'on peut toujours faire autrement, qu'il y a toujours un moyen, il suffit de chercher, mais pour chercher, il faut de la morale une fois de plus, et du cœur et Andrieu n'avait pas une pierre à la place du cœur, mais un trou, un énorme trou, comme un défaut de fabrication. Et je ne dis pas ça que pour l'entreprise. On habite un petit lieu, tout le monde se connaît ici à Périgueux, les bruits vont vite, et je peux dire que Victor Andrieu manquait aussi de morale avec ses proches, divorcé plusieurs fois, des maîtresses en veux-tu en voilà, bon, il fait ce qu'il veut de sa vie, mais je sais qu'il aimait bien les petites jeunes, et que sa pauvre femme, la dernière, ne passait plus les portes depuis longtemps, et le pire c'est qu'il n'était pas très réglo au niveau des pensions etc., je sais, j'avais toujours un nez dans la compta et je les ai vus moi les lettres d'avocat, les retards, les dépôts de plainte, des dettes aussi, le jeu je crois mais je ne suis pas sûre, en tous les cas « ses petites » comme il les appelait devaient lui coûter bien cher car un jour il m'a demandé si je connaissais la marque Balenciaga, ce que j'en pensais, si ce n'était pas trop pour une fille de dix-sept ans ; je ne juge pas, mais ce qu'il faisait dehors, il l'a fait à l'intérieur et chez lui, à la Cagex, c'était aussi un peu chez nous car il n'était rien sans nous, fini, les caoutchoucs, les pneus, il n'aurait pas su, lui, les faire tourner ses machines ; non seulement il n'aurait pas su, mais il aurait détesté salir ses petites mains et ses jolies petites chemises bleu ciel. La crasse c'est pour les autres, pas pour lui.

Moi la crasse j'en fais mon affaire, je l'ai dit, j'aime le travail, ça ne me fait pas peur et si j'avais pu, j'en aurais fait des heures supplémentaires, c'est pas un problème, ça m'occupe l'esprit et à vrai dire je n'avais plus que ça à faire depuis le départ de mon mari, le boulot était devenu mon amant, mais le truc qui clochait c'était de bosser sans le respect du patron et ça, ça ne va pas. C'est bizarre, je le sais, quand je dis que le boulot était devenu mon amant. C'est une phrase comme ça, mais je sais ce qu'elle veut dire. Je n'ai jamais eu d'amant, je l'ai dit, j'étais fidèle à mon mari, mon homme.

J'aime bien dire mon homme, c'est supérieur à mon mari, car l'HOMME c'est toute ma vie, notre jeunesse, nos enfants, notre maison, notre avenir, avant que tout ne se termine. Bien sûr que je m'y attendais, on ne se regardait plus, on ne se touchait plus, mais il n'y avait aucune haine entre nous, aucune agressivité. Je suis en colère car on aurait peut-être pu éviter ça. Je veux dire par là que l'amour n'était pas loin, qu'il aurait peut-être fallu tendre la main, mais ni lui ni moi ne l'avons fait. Et quand j'y repense, j'avais encore du désir pour lui, du désir inconscient car je n'étais plus dans cette mécanique, je n'y pensais plus, mais je sais que c'était là, pas loin, l'envie de l'autre, de sa peau, de son sexe, l'envie de ne faire plus qu'un et d'oublier les peines du monde. Mais je n'ai rien fait. Je suis restée derrière le mur qui grandissait de jour en jour. C'était comme une fatalité, et on est tout petits face à la fatalité, on la laisse décider pour soi, on accepte, même si ça brûle de l'accepter. Alors non, c'est vrai, je ne l'ai jamais trompé, et le pire c'est que je n'y ai jamais pensé ; c'était comme si j'avais fait une croix sur le plaisir. Je ne les voyais pas les autres types, rien, il n'y avait que le boulot, les enfants, la maison à faire tourner, les impôts à payer. Je n'étais plus une femme. Je ne dis pas que les femmes existent par rapport aux hommes, non, vraiment pas, et pareil pour les hommes, ils n'ont pas besoin des femmes pour être des hommes, mais je crois qu'une femme est vraiment femme quand elle a du désir. Peu importe l'objet du désir. Le désir c'est se sentir exister. C'est la vie le désir. C'est l'élan, la force. Et moi je l'avais perdu. C'est vrai que mon mari ne savait pas être tendre, mais il avait d'autres qualités, il me rassurait, je lui faisais confiance et je suis sûre que lui aussi a été fidèle, jusqu'au bout ; mais c'est important la tendresse, le geste, nous, on arrivait pas à se toucher, à s'embrasser, pourtant, tout du moins pendant les premières années, on avait du désir, des relations sexuelles, mais c'était étrange car je n'ai jamais pensé que l'on faisait l'amour vraiment, c'était comme subvenir à un besoin, mais il n'y avait pas d'histoire autour de ça, car oui, la tendresse est une histoire de tous les jours : se prendre dans les bras, s'étreindre, s'embrasser, passer une main dans le dos, tous ces petits gestes qui après se mélangent à un plus grand geste, dans la nuit, au secret des autres. On se soulageait. Un peu comme Victor Andrieu qui se déversait sur moi.

Quand on avait encore des relations sexuelles avec mon mari, je crois qu'on se libérait d'un trop-plein d'énergie, c'est tout, et pire, d'un trop-plein d'énergie négative. Baiser c'était juste oublier pendant quelques minutes nos problèmes. Oui quelques minutes, faut arrêter de se mentir, ça ne dure pas des heures ce truc-là, c'est dans les films que ça se passe comme ça, pas dans la vraie vie, en tous les cas pas dans la mienne.

Ce qui m'étonne, c'est que j'aurais pu fantasmer dans mon coin toute seule, mais rien ; et comme je l'ai déjà dit, rien seule aussi. Je n'avais même pas le désir de moi-même, et c'est ça le plus grave ; car on a beau dire, le désir nous rapproche de l'amour, ou de l'estime de soi, des autres. Et c'est grave de perdre ça, plus grave que de ne plus aimer son conjoint. C'était ça le problème, je ne m'aimais plus, et d'ailleurs est-ce que je me suis vraiment aimée un jour ? J'en doute et aujourd'hui à vrai dire cela ne m'importe plus.

Tout ça à cause de la violence que j'ai étouffée. Je l'avais oublié mais, bien sûr que je l'ai connue, bien sûr que l'on me l'a enseignée, avec application en plus, mais je ne peux pas encore la raconter. Pas maintenant.

Si je garde peu de souvenirs de cette nuit, j'ai en main, comme des cartes à jouer, ceux du petit matin. Tout est précis concernant cet instant. Mon patron derrière son bureau, moi assise de

l'autre côté. On aurait pu prendre une photo-
graphie de nous. Andrieu m'apparaissait encore
plus petit que d'habitude. Je le voyais comme
un pauvre petit garçon qui tremblait dans son
costume soudain bien trop grand, car oui, pour
la première fois de sa vie il avait peur, mais
attention quand je dis peur, je ne parle pas de la
petite peur qui vous traverse parfois et que l'on
appelle aussi la crainte, non il avait la peur qui
relie direct à la mort et j'avoue, c'est vrai, c'est
cruel, mais j'avoue que j'ai ressenti du plaisir à le
voir ainsi : pour une fois, j'avais le pouvoir, et en
plus je pouvais en user. Nous étions si fatigués je
crois ; je dis je crois car la fatigue n'a jamais été
un problème pour moi, j'ai appris à faire avec,
à la nier, à la transformer, les gens se plaignent
tant de leur fatigue et moi je ne veux pas être
les gens. En tous les cas je ne veux pas être une
personne fatiguée. La fatigue c'est de la faiblesse,
et c'est dans la tête que ça se passe, on décide
ou non d'être fatigué, la fatigue n'existe pas vraiment en soi, on n'imagine pas la force du corps,
combien il peut être résistant, se refaire ; tout est
dans la tête et les gens tombent car ils écoutent
trop leur tête ; moi je l'ai dit, je ne suis jamais
tombée, jamais. Alors oui on était fatigué, mais
moi je la niais cette fatigue, ou plutôt non je la
contrôlais, en revanche j'ai vu Victor Andrieu se

laisser envahir par elle, il n'en pouvait plus, et plus il se sentait fatigué, plus il avait peur, ça se voyait, il avait un petit filet de sueur au-dessus de la lèvre, il avait beau l'essuyer du revers de sa manche, il se reformait, il était cuit, j'avais gagné, certes pas pour longtemps, car je ne suis pas idiote, je sais que l'on vit dans un pays qui a des lois et que personne n'a le droit de tenir en otage quelqu'un, même si c'est le pire des salauds, même s'il représente à lui seul tous ceux qui pensent avoir du pouvoir sur quelqu'un, car il est bien là le problème : le pouvoir, et moi ça me tue de penser qu'il y a des gens qui se croient au-dessus de tout, pour eux aussi la loi existe, mais dans leur cas on ne dit jamais rien, car ils sont du bon côté de la barrière, les intouchables s'en sortent toujours, mais pas là, en tous les cas moi je ne voulais pas, même si je savais que j'allais à ma perte, je voulais, encore, juste quelques heures le tenir dans la peur, pour qu'il n'oublie jamais, et qu'il sache combien c'est compliqué de ne pas être l'intouchable, mais le corvéable à merci. J'ai vengé les miens, oui, c'est ça, je les ai vengés et le truc bizarre c'est que je savais qu'ils ne me seraient pas reconnais-sants, car j'ai franchi la limite qu'ils n'auraient jamais osé franchir : tous des moutons. Pas moi. Je préfère sortir du troupeau, être punie, mais pour une fois dire ce que je pense : la société est malade. On nous fait croire que l'on est tous libres et égaux et que notre modèle est le meilleur des modèles, mais ce n'est que de la poudre aux yeux car finalement, nous les petits, on a aucun droit, sinon celui de se taire. Bien sûr on nous donne un travail, on nous fait confiance quand on est un peu plus malin qu'un autre, mais au final c'est toujours pareil, on se fait écraser par les plus forts, et on se tait car il faut bien bouffer ; alors on accepte, on continue, on suit la ligne toute tracée du berceau à la tombe, toujours dans l'humiliation, la main tendue, car on a pas les moyens de claquer la porte, et parfois on rêve de partir, de leur clouer le bec pour qu'il n' y ait plus d'humiliation car on a pu choisir, et le choix c'est la liberté. Et là elle existe la liberté, c'est pas juste une idée ou un joli mot, c'est comme l'histoire de l'oiseau dans sa cage : un jour on ouvre la porte, et s'il peut choisir, ce n'est pas évident qu'il se casse, pas évident du tout car c'est lui qui décide, le mieux pour lui, la petite cage avec ses graines et sa coupelle d'eau ou l'immensité du ciel et les corbeaux qui l'attendent pour le croquer, il réfléchira à deux fois le petit oiseau avant de glisser entre les nuages et d'embrasser l'azur. Et c'est normal. Il n'est pas bête le petit oiseau. Si la porte de la cage est ouverte et s'il reste il ne se sentira pas prisonnier, il aura choisi et ça change tout, mais moi comme mes petites abeilles on a jamais pu choisir, jamais, comme mon mari, je ne suis vraiment pas certaine qu'il ait choisi quand il m'a annoncé qu'il partait, qu'il me quittait, pas sûre non plus que l'on choisisse ces choses-là, c'est la vie qui décide pour vous, un jour, trop de poids à porter et plus assez d'espace pour poser ce poids alors on part, on s'enfuit malgré l'attachement, les habitudes car c'est trop lourd et que si on ne part pas, on se fera un jour ou l'autre écraser, c'est pour cette raison que je ne lui en veux pas, il est parti car il n'avait plus d'épaules pour supporter ce qui l'accablait et je devrais l'en remercier : il m'a protégée.

Il y a des hommes qui ne s'en vont pas et souvent ça tourne mal, voire très mal, au mieux c'est la guerre à la maison, au pire c'est le carnage et tout le monde meurt. Mon mari nous a épargnés, il est parti avec son vide, il n'a rien fait payer à personne, ni à moi, ni à ses fils, c'est aussi pour cette raison que je ne lui en veux pas. Il nous a laissés en vie. Une vie un peu en vrac, mais bien là. Et c'est exactement ce que j'ai fait avec Andrieu, je l'ai laissé respirer, et avoir peur, et au petit matin parler, vaincu :

Sylvie, ma chère Sylvie, il faudrait être raisonnable maintenant.

Je ne vous en veux pas.

Je ne dirai rien.

Je ne porterai pas plainte.

C'est un petit craquage, je comprends.

On est tous à bout.

Les temps sont durs.

Je crois que j'ai minimisé avec vous.

Je m'explique, vous savez combien j'aime vous expliquer les choses car je sais aussi combien vous pouvez les comprendre, ces choses, vous êtes intelligente, supérieure à la normale n'est-ce pas ?

Oui, j'ai minimisé.

Je vous ai investie d'une tâche qui n'était pas agréable à accomplir, je le sais, et à présent je le regrette, mais Sylvie, n'y voyez en aucun cas une mauvaise intention de ma part, je n'ai jamais voulu vous faire de tort ou de mal, vous étiez mon bras droit, j'avais tellement confiance en vous.

Et vous avez craqué c'est ça ?

C'était trop de travail pour vous ? Je le comprends tellement.

J'en suis désolé.

Pardon.

Mais est-ce une raison pour rester là, devant moi plantée ainsi ?

Sylvie, c'est grave ce qu'il se passe depuis hier soir.

Vous le savez ?

Bien sûr que vous le savez.

Cela s'appelle de la séquestration.

Même si je sais que vous n'allez rien me faire de mal, je sais que vous êtes une bonne personne.

Mieux encore, je sais que vous êtes une belle âme.

Il faudrait prendre une décision maintenant. On ne peut pas rester comme ça.

Et moi non plus je ne vais pas vous faire de mal.

Je vous le promets.

Vous allez rentrer chez vous, dormir un peu, je vous donne quelques jours, histoire de faire le point, et moi aussi je vais rentrer chez moi, tranquillement, on va se séparer là et on fera comme si rien n'était arrivé.

Vous garderez votre place.

On mettra ça sur le compte de la fatigue, du surmenage.

On dit que cela arrive très souvent vous savez. Et puis le temps passera et tout redeviendra normal Sylvie, d'accord ?

Je sais que vous êtes d'accord.

Reprenez-vous mon petit, on oublie tout.

Dites-vous bien que demain est un autre jour et les autres jours qui suivront effaceront ce petit moment de faiblesse.

Ce sera notre secret à tous les deux.

Vous savez en plus que je vous ai toujours beaucoup aimée.

Au nom de toutes ces années quittons-nous en paix Sylvie.

Otages

Je vous laisse partir la première, ainsi vous serez sûre de ma bonne foi.

Je n'appellerai pas la police, ni votre mari, ni personne d'ailleurs.

Aucun employé n'aura vent de cette nuit. Jamais.

Vous avez ma parole Sylvie et vous savez bien que je suis un homme de parole, j'ai des convictions moi, depuis toujours.

Vous m'avez pris pour l'homme que je ne suis pas.

Alors je suis rentrée chez moi.

C'est le froid des draps qui me semblait étrange, j'étais là, dans mon lit, j'avais retiré mes chaussures, ma jupe, gardé mes collants, mon chemisier, mais je sentais quand même le froid et je ne comprenais pas pourquoi, j'avais poussé le chauffage au maximum, ajouté une couverture, mais les draps restaient glacés sur moi, et il me pénétrait ce froid, je me sentais contaminée, j'étais en train de prendre conscience de ce que j'avais fait, mais je ne sentais pas la peur, juste le froid.

J'ai essayé de dormir sans y parvenir, j'avais l'impression que quelqu'un se tenait à côté de moi, puis en moi, comme si au fil des heures je commençais à être remplacée de moi-même ; en milieu d'après-midi, j'étais persuadée que tout cela n'était qu'un mauvais rêve, que je n'avais pas vu Victor Andrieu la veille, ni le matin même, que j'allais me réveiller, c'était ça, je dormais, tout allait redevenir comme avant, comme si un tableau s'était posé sur la réalité et qu'il perdait enfin ses formes et ses couleurs pour s'effacer, disparaître. Tout cela devait venir de mon imagination.

J'ai quitté mon lit, je suis allée dans la cuisine, j'ai fait un café, cherché du sucre sans le trouver, cela m'a mise en colère, j'ai ouvert tous les tiroirs, les ai renversés, j'en avais assez de tout, de la maison, du silence, de moi. J'ai regardé par la fenêtre, il pleuvait, le ciel était descendu d'un cran, aucune maison mitoyenne n'apparaissait dans mon champ de vision, j'étais seule au monde avec cette nouvelle personne qui semblait avoir pris possession de moi, j'étais seule avec elle dans le brouillard. C'est uniquement à ce moment-là que j'ai commencé à avoir peur, peur de me perdre, de ne plus me retrouver, d'être remplacée par l'autre alors j'ai mis une stratégie au point ; je me suis concentrée sur des images qui pouvaient me ramener au plus vite à la réalité, des images rassurantes, je n'ai pas pensé à mes fils, ni à mon enfance, non, j'ai tout de suite pensé aux *télénovelas*, je savais que ça allait me détendre.

C'était facile, simple, toujours les mêmes histoires, un beau garçon, une belle fille, la rencontre, l'amour, le mariage, les secrets de famille, la maîtresse qui arrive, j'adorais ça, c'était si loin de moi et à la fois si proche de mes rêves de petite fille, quand je pensais qu'un jour ma vie serait ainsi, dans une maison avec une piscine, quelques palmiers, mariée à un chirurgien esthétique qui aurait fini par me briser le cœur, cela aurait été triste, mais beaucoup moins que la Cagex, sans mari, sans envie, sans désir. Et puis ce que j'aimais dans les *télénovelas* c'était la notion de temps. Le temps que possèdent les femmes, pour se maquiller, se coiffer, s'habiller, faire des courses, prendre un verre. C'est un temps élastique, irréel. Elles ne courent jamais après, alors que moi le temps me domine et il a fini par gagner. Pas de temps pour moi, peu pour les autres, à peine pour la vraie vie, celle qui s'arrête enfin et qui vous permet de sentir le vent sur sa peau, d'entendre le chant des oiseaux quand arrive le printemps, le temps de rêver aussi, à un autre avenir, pas meilleur, mais juste différent.

J'avais la certitude que rien ne changerait dans ma vie, c'est pour cette raison que j'ai fait cette idiotie avec Andrieu. Oui je me suis rendu compte que c'était une connerie, une fois que j'étais dans la cuisine. Je regardais les tiroirs par terre, vidés, les couverts, le sel, le poivre, les herbes, il y en avait partout et ce n'était pas grave, rien ne serait grave désormais, j'avais franchi une frontière. J'ai cru entendre du bruit dans le salon, mais il n'y avait personne, juste moi avec ma conscience, un peu sale. Le pauvre Andrieu avait dû tellement avoir peur. Je ne culpabilisais pas du tout pour lui, mais pour mes fils. Je suis allée me recoucher car c'était trop déprimant de penser à mes fils, je n'avais aucun paravent, aucune barrière, c'était cela le plus terrible, ni mes fils, ni la vie d'avant, mon enfance, mes parents que j'ai perdus, mon frère, mes sœurs qui habitent si loin, mon travail, l'ancrage, mes petites abeilles, il n'y avait plus rien pour me recadrer, me protéger, je commençais à avoir des souvenirs de la nuit avec Andrieu, mais je n'avais rien pour les recouvrir ou les réparer. J'étais seule dans mon lit, je sentais encore l'autre, la deuxième personne, mais elle commençait à s'effacer, et bêtement moi je commençais à la regretter. Je dis bêtement car c'était pas mal de penser que c'était l'autre qui avait fait ce que j'avais fait, c'était un bon alibi pour ce qui suivrait. Je me suis enroulée dans les draps et j'ai prié de toutes mes forces pour que cela ne soit qu'un mauvais rêve. J'entendais la pluie tomber sur le

toit et j'ai pensé à toutes ces années de travail,
de crédit, pour la maison et il y avait ce mot qui
revenait sans cesse, l'effort, c'était ça avec mon
mari, nous avions tant fait d'efforts pour acqué-
rir un semblant de liberté, et soudain, pour rien,
j'avais tout perdu. Je me suis endormie, c'était
comme tomber dans un trou, j'étais épuisée, et
j'ai même pensé que la mort devait ressembler
à cela, à une lente descente dans un puits dont
on ne remonte pas. J'ai trouvé cela agréable, et
je me suis dit que ce ne serait pas si grave de ne
pas me réveiller. Je n'ai plus peur de la mort,
j'en avais peur avant, enfant ou quand mes fils
étaient petits, peur qu'ils soient tristes, livrés à
eux-mêmes, ce qui me fait penser que je n'avais
pas entière confiance en mon homme, même si
je le trouvais sérieux, robuste, mais il y avait un
truc que je ne devais pas sentir, et l'avenir m'a
donné raison puisqu'il est parti sans s'attarder,
c'était très simple pour lui de dire *Je m'en vais*,
il avait dû répéter sa phrase un millier de fois
avant d'avoir le courage de la prononcer à voix
haute, devant moi, je comprends, ou je peux
le comprendre mais c'était un beau comédien,
parfait, les yeux dans les yeux, il n'a pas hésité, *Je
m'en vais*, tellement beau, qu'il m'a rendue belle
et courageuse, je n'ai pas pleuré, je n'ai pas crié,
d'ailleurs je déteste les femmes qui crient, j'ai fait

comme si de rien était, pas de crise, nous avons joué notre scène même si pour moi c'était une grande première à l'inverse de lui qui l'avait sûrement tant de fois jouée tout seul dans sa tête ou devant le miroir de la salle de bains. Alors non, je n'ai pas peur aujourd'hui de la mort, mes fils sont plus grands ils sauront toujours se débrouiller, ils sont déjà habitués à la chute, je sais qu'ils ont pris leurs marques comme on dit, chez leur père, ils ne seront pas vraiment perdus sans moi, je leur manquerai au début et puis le temps fera bien les choses. Je ne dis pas que j'ai envie de mourir, pas du tout, mais si cela était arrivé pendant mon sommeil ce jour de novembre, j'aurais accepté, je me serais laissée aller au fond du puits, sans lutter.

C'est la sonnette qui m'a réveillée dans la soirée, mais je n'ai pas bougé, pensant qu'elle était dans mes rêves, comme une sonnette dans ma tête qui disait : non Sylvie, ce n'est pas encore le moment, ne descends pas davantage dans le puits, reviens, la neige arrive et tu l'aimes tant quand elle se dépose sur les toits. Et puis il y a eu des coups dans la porte, au début légers je pense, mais je ne suis sûre de rien je dormais si bien, et quand ils se sont faits plus insistants j'ai compris qu'il se passait quelque chose. Nul ne passe au travers des gouttes, nul n'est innocent. C'est spécial l'innocence. Il me semble que le seul fait d'être en vie nous rend coupables. C'est à cela que j'ai pensé quand les coups ont redoublé. Ils pouvaient bien me les mettre les menottes, j'en avais assez d'être en sursis depuis si longtemps : depuis la violence dont je parlerai plus tard, mais c'est encore trop tôt, là je ne peux pas.

Je ne supportais plus ce bruit à la porte, j'avais envie de hurler, qui pouvait ainsi me déranger ? J'avais une petite idée, mais cela ne retirait rien à ma colère d'avoir été obligée de remonter de mon puits, là où rien ne pouvait plus arriver, où j'étais en paix.

J'ai remis ma jupe et j'ai ouvert. Deux hommes m'ont demandé si je m'appelais bien Sylvie Meyer. Je n'ai pas répondu tout de suite car j'ai pensé à Andrieu et je me suis dit qu'il restait un bel enfoiré finalement ; même si j'avais commis quelque chose de pas net, il m'avait promis de ne rien dire, de ne surtout pas porter plainte, au nom de notre passé, tu parles. Je me suis dit que tous les hommes étaient lâches et sans parole. Une fois rentré chez lui il avait dû se refaire le film, penser au pire, qui n'était pas arrivé, mais l'imagination va vite dans ces cas-là. Et je crois qu'il s'est senti humilié : d'être tenu en joue par une femme, dans son entreprise, dans son bureau, là où jadis il régnait, j'avais tout saccagé, en le séquestrant une nuit entière avec un malheureux petit sac à main qui contenait un malheureux petit couteau, mais surtout, et c'est cela qui a dû le faire le plus flipper : avec mon silence. Une fois rentré chez lui il a paniqué, alors que rien n'était arrivé, rien de grave en tous les cas. Et puis il a voulu se venger. Pour une fois qu'une femme lui résistait, impossible pour lui d'en rester là. Andrieu avait donc prévenu la police.

Les deux hommes qui se tenaient devant moi ne ressemblaient pas à des policiers, je veux dire par là qu'ils n'étaient pas dans la tenue qu'on leur connaît, ni képi, ni uniforme, pas d'armes non plus, du moins pas d'armes apparentes, l'un d'eux portait une chemise cartonnée, avec des feuilles à l'intérieur, je l'ai remarquée car elle m'a fait penser aux chemises que mon père utilisait pour classer les papiers qu'il estimait importants, les factures, surtout je crois, elles étaient beiges avec un cordon bicolore, blanc et rouge qui se resserrait par une boucle en dents de scie, je sais que c'est étrange de se rappeler de ce détail, mais cela m'a sauté aux yeux quand je les ai fait entrer dans la cuisine, la chemise cartonnée, celle de mon père, de mon enfance : « la chemise à soucis » avait l'habitude de dire ma mère. Des soucis j'en avais, et là, vu la tête des deux gars, j'allais en avoir de bien plus sérieux, c'était certain. Je n'éprouvais ni honte, ni peur, ni culpabilité. On éprouve toujours l'un des trois sentiments, c'est la vie, le lot commun à nous tous, pauvres petits humains que nous sommes, mais là, rien, la ligne, encéphalogramme plat. Rien. Je me sentais libérée, pour une fois il arrivait quelque chose, certes, d'assez dur, surtout pour mes fils car c'est à eux que je pensais, pas à mon mari, pas à moi, pas à ma réputation par rapport aux voisins ou à mes abeilles, non je pensais à mes fils car c'est dur d'avoir une mère qui déraille, je pensais à eux, mais sans plus.

Ils sont entrés dans la cuisine, j'ai demandé : Vous voulez un café ? Ils ont accepté, ce que je trouve un peu limite en y réfléchissant, mais moi je suis polie. Je n'avais qu'une envie car je savais qu'ils allaient m'embarquer, c'était de me brosser les dents. Cela faisait longtemps que je ne l'avais pas fait à cause d'Andrieu, et moi je suis une femme propre. Pour parler c'est important de sentir ses dents propres. Pour le reste, le corps, les aisselles, le sexe, je me sentais impeccable, mais pas les dents. Et si je ne sentais pas mes dents propres, je savais que mes mots ne le seraient pas, que les deux hommes ne me comprendraient pas.

Ils se sont assis, ont pris leur café, je suis allée dans la salle de bains, vite fait, et je me suis brossé les dents pour dire toute la vérité, même si je savais que c'était fini pour moi car Andrieu avait dû charger la mule. C'était si facile de m'acculer, une femme seule, deux fils, plus de mari, trop de travail : j'étais coupable.

Je suis revenue dans la cuisine, je pouvais enfin parler, répondre surtout car ils ne faisaient que me poser des questions : âge, profession, etc. et après il m'ont demandé si j'avais un avocat et c'est là que j'ai compris que c'étaient vraiment des flics, que je devrais expliquer, raconter, me défendre, mais me défendre de quoi au juste ? Je ne sais même plus qui je suis, alors expliquer pourquoi je suis arrivée en fin de journée à la Cagex pour séquestrer Andrieu, cela me dépassait, comme un vol d'hirondelles au-dessus de ma tête, non, pire, comme un avion supersonique que l'on entend sans jamais le voir. Je n'en savais rien moi, de mon intention, car c'était le mot qui revenait sans cesse dans ma cuisine : quelles étaient vos intentions, madame Meyer ? J'avais envie de dire que je n'étais plus madame Meyer, que j'avais gardé mon nom pour mes fils et par nostalgie et peut-être aussi par amour. Oui je l'aimais toujours mon mari.

Otages

Ils n'étaient pas menaçants, pas gentils non plus, neutres, ce que je n'arrive pas à comprendre car on est jamais neutre dans la vie, on est toujours traversé par des sentiments, c'est impossible d'être neutre même quand on est flic, il y a toujours un truc qui se passe, et il s'est passé un truc : ils me regardaient bizarrement, ils devaient sentir le truc que je sentais, un truc pas anodin, terrible en fait : il sentait la fin d'une vie, et le début d'une autre. Et le plus étrange c'est que nous savions tous les trois que ce début d'une autre vie avait quelque chose de formidable en soi. C'était la nouveauté, même si cette nouveauté serait difficile, mais ils sentaient que pour moi ce serait toujours mieux que ma vie actuelle. Au moins il m'arrivait quelque chose. Quelque chose que j'avais provoqué, l'onde de choc, j'avais jeté un caillou sur une étendue calme et les cercles n'en finissaient pas de s'élargir pour s'écraser vers des rives jusque-là invisibles, inconnues.

Ils m'ont demandé si je désirais appeler quelqu'un. Je ne voulais appeler personne. Dehors la nuit avait tout pris, plus aucune lumière, pas une seule voiture, rien, on aurait cru que toute la petite ville savait pour moi et que par politesse on évitait mon chemin. Puis la sonnerie du téléphone a retenti, les deux flics m'ont regardée, je n'avais pas envie de répondre, je savais que c'était mon mari, mon homme, celui qui m'avait aimée, puis qui avait cessé de m'aimer et j'ai pensé à la rivière l'été, au soleil qui passe par le tamis des feuilles, aux arbres qui protègent, aux rires des enfants qui semblent rejoindre le vent plus haut, celui qui déplace les nuages et qui nous fait croire à une vie meilleure. Je n'ai jamais répondu, j'ai rassemblé quelques affaires et je les ai suivis.

Nous avons roulé, longtemps, j'étais assise à l'arrière de la voiture, seule, le flic qui conduisait avait pris soin d'actionner la fermeture automatique des portières, craignant peut-être que je ne m'évade. Nous roulions vers Sarlat, ou Bordeaux, ou Paris, comment savoir, je ne voyais aucun panneau sur notre route, juste des champs que je devinais sous la nuit. Je ne me serai pas échappée, ils se trompaient. Je me sentais bien dans cette voiture. Il me semblait pour une fois être à ma place, ou en tous les cas occuper la place que je méritais : celle d'une femme qui avait fait une grosse connerie, mais qui vengeait toutes les autres, celles travaillant sans répit et qui chaque soir retrouvaient la violence : un mari absent, des enfants trop bruyants, la solitude. Je l'ai dit, c'est toujours plus difficile pour les femmes que pour les hommes. Je ne veux pas faire pleurer, mais c'est la vérité. C'est aussi pour cette raison, qu'avec le temps, nous sommes plus fortes. Les coups rendent la peau dure. Une pellicule de corne se forme que rien ne peut venir percer. Alors non, bien sûr que non, je n'allais pas m'enfuir, j'étais bien sur la banquette arrière, j'ai fermé les yeux et cela m'a rappelé mon enfance, à l'arrière de la voiture, quand mon père conduisait, au retour d'une baignade dans la rivière, ou d'une promenade en forêt, c'était doux, silencieux, ma mère était dans ses pensées, mon père avait une main sur le volant, l'autre main à l'extérieur de la vitre baissée, tenant sa cigarette qu'il laissait se consumer, par réflexe, par ennui aussi, perdu dans ses pensées ; ils ne s'aimaient plus, je le savais, mais ils faisaient tout pour que cela ne se voie pas, ce qui signifiait qu'ils aimaient plus leurs enfants qu'eux-mêmes. Cela me rassurait, je me disais, au moins, pour une fois dans ma vie, on prenait soin de moi. C'était un mensonge, mais il était beau ce mensonge, en tous les cas j'avais toute la sérénité pour le trouver beau, et cela me faisait du bien car j'aimais l'effort de mes parents, de faire semblant, de donner une image de l'amour, de la famille, même si c'était faux, cela existait et c'était ça le plus important : que cela existe.

J'avais une image du bonheur, fausse, mais là, comme un arbre qui pousse dans le sable, sans eau et qui un jour donnera d'autres branches : à cet instant précis, je n'avais plus peur de la mort. Et je sais que c'est étrange, mais avec les deux flics, j'ai eu ce sentiment : je ne craignais plus la mort, pourtant je le ressentais tellement fort ce sentiment de mort, mais j'étais escortée et plus rien ne pouvait m'arriver, ils étaient contre moi c'est vrai, mais leur présence me donnait un sentiment de sécurité : j'étais devenue quelqu'un qui compte. Et je remplissais le creux dans le lit, l'ombre de mon mari. Il revenait, par ces deux hommes. C'est étrange la masculinité. On n'y connaît rien, nous les femmes. Dans les magazines féminins que je lis chez le coiffeur, elles pensent avoir toutes les réponses aux hommes, mais c'est tellement faux. Les hommes sont plus mystérieux que les femmes, et l'on ne saura jamais rien de leur fonctionnement, de leur construction, de leur refus aussi. J'ai dit qu'ils avaient la force, et c'est vrai, je le pense vraiment, mais je sais qu'ils n'ont pas trop le choix non plus, c'est dans leur histoire, comme pour nous la souffrance. Et tout cela est un vaste mensonge, mauvaise distribution des cartes et chacun de son côté, les hommes et les femmes s'affrontent, s'aiment, se détestent et s'affrontent encore.

Dans cette voiture je me suis demandé : qui avait raison qui avait tort ? Victor Andrieu, mon mari, ne représentait pas tous les hommes, mes abeilles adorées, moi, ne représentions pas toutes les femmes non plus, nous étions de fines gouttelettes qui composent un nuage puis tombent avec l'averse et disparaissent dans la terre, absorbées. Et les deux flics, soudain, devant moi, conduisant dans la nuit, changeaient la donne. Je me sentais bien avec eux en dépit des circonstances qui nous réunissaient. Je restais sans crainte, j'allais droit vers mon destin, il ne serait pas heureux je le savais, le pressentais, mais il fermerait les derniers mois que j'aurais pu comparer à des mois d'effacement ; je n'étais plus la même, après le départ de mon mari, avec cette solitude que j'avais renoncé à reconnaître, à accueillir, m'étourdissant de travail, obéissant à Andrieu, pour décharger la haine que j'avais en moi sur les autres. Attitude qui était à l'inverse de ma personnalité. Je lui en voulais, vraiment, et pour cela je ne regrettais pas mon geste, et je ne voulais pas me défendre, bien au contraire, je voulais juste dire la vérité, et pire encore, je voulais dire que je regrettais de ne pas être allée encore plus loin. Il méritait une punition plus sévère et moi je n'avais rien à perdre. J'étais ennuyée pour mes fils, c'est tout, pour notre réputation, je savais

que l'on me ferait passer pour folle, je n'éprouvais pas de honte, mais de la gêne pour mes fils,
c'est dégradant d'avoir une mère folle, et angois-
sant, car on n'est plus sûr de son amour, de
l'histoire que l'on a eue avec elle. Je n'étais pas
folle, mais je savais que mes fils choisiraient cette
option pour se reconstruire. Il était d'ailleurs
hors de question pour moi de me cacher derrière
la folie. Mon acte était un acte responsable, je
vengeais les travailleurs de certains patrons et j'en
étais fière. On pouvait penser que cela faisait un
peu cliché, ce n'était pas important pour moi :
tout était question d'équilibre. Je rétablissais
les forces, écrasant celui qui avait tant usé de la
sienne pour amoindrir des êtres déjà affaiblis. Je
n'étais pas justicière, mais je me sentais investie
d'une mission, peu en importait l'issue, pour une
fois j'étais emportée, tendue vers l'avenir.

Le voyage a été long et j'ai compris que nous allions vers une grande ville, Bordeaux sûrement. J'ai fermé les yeux, nous avions quitté la nationale et la campagne engloutie par la nuit pour s'élancer vers l'autoroute. Il me semblait que la voiture roulait trop près de la glissière de sécurité et à plusieurs reprises, j'ai souhaité, en secret qu'un accident survienne ; après tout, il ne me restait plus grand-chose à espérer de la vie, j'allais perdre mon travail, ma liberté, quelques mois, quelques années, je ne me représentais pas le degré de gravité de mon geste, mais connaissant Andrieu, il ferait intervenir pour me rayer de la carte une bonne fois pour toutes. Mourir avec deux inconnus me semblait être une idée romantique, comme dans les *télénovelas* où l'amour côtoie souvent la tragédie, pour lui donner un aspect miraculeux et unique. Ce qu'il avait été pour moi. Miraculeux et unique, unique et miraculeux.

Je n'attendais pas mon mari, il ne m'attendait pas non plus, nous avons connu un bonheur discret, mais pour moi cela relevait du miracle. Il n'est pas évident de rencontrer un homme à soi, pour soi, avec qui on fera un long chemin sans douter, sans se poser de question. Quand on y réfléchit, c'est très compliqué de s'accorder, de se faire confiance. Je ne sais pas si nous sommes faits pour vivre à deux, mais j'aimais cela avec mon mari, malgré tout. À force on ne voit plus rien, c'est quand on perd que l'on sait. Après le départ de mon mari, la violence dont je ne peux encore parler est revenue, par intermittence. Et puis elle est revenue, grande, forte, immonde, de façon plus continue encore plus forte, grande, immonde car je l'ai niée. Les choses que l'on ne veut pas regarder, ou admettre, grandissent dans votre dos. C'est comme ça. Et cette violence j'aurais pu la comparer à une fougère géante tant elle prenait de place, tant elle m'étouffait, mais moi je ne voulais pas la voir, et je ne l'ai tellement pas vue qu'elle a continué à puiser des réserves d'eau et de force dans la terre : c'est-à-dire en moi. Je voulais être si parfaite, irréprochable. Il faut que je sois punie, non pour mon geste, je l'ai dit, je ne le regrette pas, et si c'était à refaire, je recommencerais avec plus de force, plus d'organisation. Il faut que je sois punie pour avoir nié la violence, car à cause de cela, du déni, je me suis niée moi-même et j'ai nié le miracle, l'amour, celui que mon mari me portait et celui que je lui ai donné sans compter.

Quand j'étais enfant, ma mère me lisait la rubrique des faits divers puis la nécrologie du jour. Pour les faits divers, elle disait que c'était important de savoir combien les hommes pouvaient être fous parfois et qu'il fallait s'en protéger ou du moins être vigilante, dans la rue, à la rivière, en sortant de l'école aussi car les satyres rôdaient surtout près des écoles, c'était son obsession ; elle disait aussi qu'être conscient du malheur des autres donnait de la lumière à sa propre vie, que cela forçait à ne pas trop se plaindre, à se contenter de ce que l'on avait, même si ce n'était pas le paradis, il y avait des gens qui connaissaient l'enfer sur terre et ça, par respect, il ne fallait jamais l'oublier. Pour la rubrique nécrologique elle y cherchait de vieilles connaissances et je la soupçonnais d'être déçue quand aucun nom qui y figurait ne lui rappelait un ami, une famille, qu'elle avait fréquentée. Elle vérifiait en quelque sorte. Elle aussi faisait des listes, comme moi à la Cagex. Ses viviers étaient bien remplis et quand ils se vidaient, elle allumait la télévision pour regarder les aventures du commissaire Maigret. Il m'arrivait de penser que ma mère était une énigme, que je n'arriverai jamais à la connaître vraiment : pour cette raison, je lui ressemblais.

Dans la voiture, avec les deux flics, c'était idiot, mais, oui, je me sentais protégée. J'étais devenue quelqu'un d'important, on me transportait, on s'occupait de moi. Ils ont même mis de la musique à un moment du voyage, c'était doux comme les musiques dans les ascenseurs ou les supermarchés, un genre de mélodie que l'on connaît sans connaître, sans paroles, une berceuse pour les vieux enfants comme moi car après tout j'avais fait une bêtise d'enfant, j'avais relégué mon cerveau de femme adulte dans un coin perdu et j'avais agi comme une petite fille qui en veut à son père, sauf que je n'ai jamais éprouvé de haine envers mon père, jamais, mais pour un homme en particulier, oui, c'est vrai, celui-là je ne suis pas près de l'oublier, mais je ne peux pas encore en parler, non, pas encore.

J'étais donc bien dans cette voiture, avec la musique, j'avais des images de l'été quand j'étais petite, la place du marché, vide, les volets fermés

dans l'après-midi à cause de la chaleur, le bar
tabac qui se remplissait vers dix-neuf heures, les
familles, les amis, les enfants, les poivrots du coin
qui se mélangeaient dans un bonheur simple,
mais bien réel, le temps semblait s'être arrêté,
et même si mes parents ne s'aimaient plus, j'aimais les voir rire et discuter avec les autres qui ne
s'aimaient peut-être plus non plus, mais chacun
faisait semblant, comme une sorte de politesse.
Une politesse à la vie. C'est si précieux la vie, on
a tendance à l'oublier, à partir du moment où
l'on est en vie, que l'on se réveille tous les matins,
que l'on fait les trucs que l'on a à faire, même
si ça nous pèse, même si c'est toujours pareil, il
faut être heureux de ces habitudes, de toutes ces
cellules qui grouillent en nous, qui font que l'on
existe, c'est idiot je sais, mais parfois on oublie,
c'est fatigant d'être, mais c'est la chose la plus
sublime au monde aussi et on a pas le droit de
s'en éloigner ; moi je l'ai fait, je ne peux pas dire
que je regrette car d'une certaine façon je suis
fière d'avoir torpillé le pauvre Andrieu, mais ma
vie va se resserrer c'est certain, et mes cellules
vont le ressentir et se vengeront, c'est normal,
je les ai trahies, elles me portaient et moi je suis
allée au-delà de la limite ; je ne dis pas que je vais
mourir, c'est fini la peine de mort en France et
ce que j'ai fait ne mérite pas la peine capitale,

mais je sais que j'ai brisé le processus de la vie, du moins de la vie normale. Et je l'ai encore plus compris quand on a quitté l'autoroute pour sortir vers Bordeaux. Tout a changé, c'était comme dans les films américains. L'un des deux flics, celui qui ne conduisait pas, a éteint la radio, allumé une cigarette, baissé la vitre. Quelque chose avait changé. Je regardais leurs nuques, bien rasées, leurs épaules larges, si j'avais été plus jeune j'aurais pu penser, croire, avoir peur, qu'ils arrêtent la voiture, m'obligent à descendre, pour me baiser vite fait bien fait dans le fossé, se vider de leur journée, de cette route trop longue, mais je n'avais plus l'âge de ce dérapage-là.

Le flic qui fumait s'est retourné vers moi et m'a dit : *Vous êtes dans la merde, j'espère que vous en avez conscience ?* Je n'ai pas répondu, bien sûr que j'en avais conscience. Puis il a ajouté : *On vous a bien traitée putain, vous auriez pu avoir les menottes.* Je n'ai toujours rien dit, les menottes, je les avais depuis longtemps, parfois aux poignets, parfois au cou, enserrant mon cœur qui ne battait plus comme avant. Puis ils se sont énervés tous les deux, à cause de la route, de la bretelle qu'il ne fallait pas prendre, de la zone industrielle qu'il fallait désormais traverser. La banquette de la voiture me paraissait soudain trop étroite pour ce que je transportais en moi : la peine, que je ressentais, celle que j'allais faire à mes fils. Elle était infinie cette peine, j'avais envie de pleurer, mais on ne montre pas ses larmes à ceux que l'on ne connaît pas. Puis le même flic a dit : *Tu veux une clope, genre la dernière comme les condamnés ?* Et ils ont ri. Je sais qu'ils me prenaient pour une pauvre folle. Parce que j'étais une femme. Parce que j'avais mon âge. Parce qu'ils avaient le pouvoir. Je ne disais toujours rien. J'aurais pu répondre, me défendre, mais non, rien. Ils n'étaient pas grand-chose pour moi, juste deux types qui faisaient leur boulot, alors qu'ils auraient préféré être entre les cuisses de leurs putes car ces types n'avaient pas d'épouses, mais des putes.

Plus on approchait de la ville, plus ils reprenaient leur rôle. Je n'avais pas peur, je les méprisais. Car nous les femmes, c'est notre force de mépriser le pouvoir des hommes sur nous. D'ailleurs c'est notre seule force car soyons franches on a beau s'agiter dans tous les sens, ils resteront les maîtres et on restera en dessous ; pas dans la tête bien sûr, mais physiquement. Il est là le grand malheur des femmes : la vulnérabilité. On restera toujours sous le corps des hommes. Ils auront toujours le dernier mot. Un homme n'a jamais peur, quand je parle de la peur, je parle de la grande peur, celle qui ne nous quitte pas, nous les femmes, dès l'enfance : la peur du viol. La peur de cette salissure-là. Elle est dans notre histoire de femmes. Elle nous relie les unes aux autres, quel que soit le pays, le milieu social. Les femmes sont sœurs dans la peur du viol. C'est malheureux, mais c'est ainsi. Nous sommes ouvertes, ils sont armés. Nous sommes vulnérables, ils sont puissants. C'est pour cette raison que le monde restera gouverné par les hommes et par la peur qu'ils engendrent. Et cela n'est pas près de changer. Parce que les femmes sont moins vigilantes qu'avant. Elles semblent avoir baissé les bras. La peur est devenue plus forte que tout. Moi je n'ai pas eu peur pour Andrieu, mais il aura quand même gagné. J'aime mes fils, j'ai été heureuse d'avoir des garçons car je me disais que je leur apprendrai le respect, la courtoisie, la douceur, j'ai essayé de le faire, mais finalement je ne sais pas comment ils se comporteront plus tard et j'ai beau les aimer, je sais que le rapport de force reste inégal. Nous, on a intégré la souffrance, je l'ai dit, mais eux ne savent rien de tout cela. Et on restera toujours de petites choses à la merci du premier connard qui passe. C'est comme ça, il faut l'accepter, mais moi je n'accepte pas. Dans ce cas précis je déteste la nature. Je déteste ce qu'elle impose. On dit l'ordre de la nature, moi je la crois bien désordonnée la nature. Il nous manque un truc les femmes. Il aurait fallu une défense. Un truc dans le corps égal à leur sexe, à cette puissance-là. Qui nous donnerait enfin la confiance et donc le pouvoir. Les hommes gouvernent le monde car ils n'ont pas peur. Ils ont des ailes quand nous, nous piétinons dans la vase. Je pense souvent à mes petites abeilles. J'ai peur pour elles. Les femmes ne disent jamais rien sur la violence, ne s'en défendent que très rarement. Et je suis comme elles. Ne rien dire, porter le fardeau, se taire et puis un jour tout casser comme je l'ai fait.

J'aimais mon mari, mais je crois que je hais les hommes. Et plus encore, je hais les hommes qui font du mal aux femmes. Et je me réjouis d'avoir fait flipper Andrieu. Il a payé pour les autres. Cela n'aura pas duré longtemps, mais ça existe. Alors le flic pouvait me proposer sa clope du condamné, mal me traiter, tout coulait sur moi. Je me sentais en vie, dans la vie car, durant un petit laps de temps, le temps de la séquestration, je l'avais choisie ma vie : c'était enfin moi le violeur.

Dans la voiture, j'ai pensé à ma mère et je me suis dit que je ne savais rien de sa vie, de sa vraie vie, la vie avec mon père, ce qu'elle ressentait pour nous. Je pense qu'elle était malheureuse, mais elle a fait avec, comme mon caillou dans la chaussure. Elle a continué à marcher, à nous élever. Elle est restée avec mon père car à l'époque on ne divorçait pas. Elle a fait son petit chemin obligatoire, sans détour, accompli ses tâches, ses devoirs de femme, puis s'est éteinte sans avoir embrassé, connu la folie de l'amour, celle qui vous fait traverser le pays entier pour rejoindre l'autre. Celle qui fait trembler le ventre, les mains. Celle que l'on voit dans les films et qui doit bien exister quelque part puisqu'une histoire s'inspire forcément du réel.

Tout était soudain si éclairé dans la nuit. C'était la ville, la grande ville, Bordeaux, fini l'autoroute, fini la nationale, fini mon petit patelin, fini ma cuisine et les tasses à café, fini mon lit, mes draps froids, fini le petit matin avec Andrieu, fini les jours semblables, fini ma petite vie de petite cinquantenaire séparée, comme tant d'autres. J'étais si banale, je le savais, je l'avais toujours su. Je m'en accommodais. Je n'avais aucune jalousie en moi, aucune. Je n'ai jamais envié quiconque. Ma banalité, je l'acceptais. Il y avait pire que moi, que nous, il y a toujours pire.

Les lumières arrivaient jusque sur mes jambes, dans la voiture et je me suis sentie plus incarnée que d'habitude. Tout s'ouvrait, alors qu'on allait m'enfermer. Tout brillait. C'était ça la vérité, je voyais de la lumière partout car j'allais enfin pouvoir regarder mon secret en face, l'accepter peut-être, en avoir pleine conscience, m'y baigner comme dans un océan, avaler son eau et me sentir lavée une bonne fois pour toutes.

Quand nous nous sommes arrêtés, je me suis dit que l'on était arrivés au commissariat même si le bâtiment était neutre, sans inscription. Le flic qui fumait a ouvert la portière et a attrapé mon bras brutalement. Je me suis cogné la tête contre la portière, je n'ai pas eu mal, du moins je n'ai ressenti aucune douleur. L'autre, celui qui ne fumait pas, le conducteur, m'a poussée vers la porte de l'établissement, il semblait épuisé. Il m'a donné un coup de pied dans les fesses pour que j'avance plus vite, j'ai failli tomber. L'autre a dit : *vas-y mollo vieux.* Je me suis sentie comme entre deux chiens. C'était ça, j'étais une chienne entre deux chiens. Sauf que les chiens ne sont pas comme ça. Pas comme eux. Mais moi je me sentais bien chienne, dans le sens où j'étais la plus vraie, la plus docile du monde. Et cela me faisait du bien, pour une fois je lâchais, je ne contrôlais plus et c'était si agréable enfin d'être soi. Ils me prenaient pour une folle ? Pour leur faire plaisir je serai folle. Ils me jugeaient trop vieille pour me sauter ? J'assumais tout, mes rides, mon ventre, mes genoux, mes coudes, mes mains, cette peau qui plie de partout, pas seulement sur le visage, le cou, la poitrine, elle plie sur les endroits auxquels on ne pense pas, et ce sont les pires. J'assume. Je m'en fous. Je le dis sans aucune coquetterie, c'est la vérité. La jeunesse c'est le regard, le sourire, l'élan. J'ai tout ça, malgré mes rides, j'ai tant d'énergie encore, et je vais la leur donner, avec plaisir, car la vie dehors ne m'intéresse plus. Je vais me livrer, sans protester, et ils peuvent me gifler, me donner des coups de pied, je ne dirai rien, je ne me débattrai pas, je prendrai leur violence comme une caresse : on s'occupera enfin de mon corps. Le désir ne se tient jamais loin de la violence. C'est affreux mais c'est comme ça. Quand on vous frappe, on vous touche, et c'est de la peau dont il est question. Alors j'étais prête à tout recevoir.

On est entrés dans un petit bureau, les murs étaient d'un blanc sale. Ils m'ont jetée sur une chaise. J'étais à leur merci. J'en tirais une certaine satisfaction. De ne pas me plaindre. De ne pas me défendre. C'était comme du mépris. Ils ont

pris mon sac, l'ont vidé sur le bureau, comme
ça, sans rien chercher, juste pour me déstabi-
liser, puis l'un d'eux a sorti un petit sachet en
plastique d'un tiroir pour y mettre mon téléphone portable, mes clés et mon portefeuille.
Il a laissé mon rouge à lèvres, une mini brosse
à cheveux, mon poudrier et le pinceau qui va
avec, deux lettres, un ticket de pressing. J'en
avais plus rien à faire de mes clés de maison,
de voiture, de ma carte de crédit, des quelques
euros que devait contenir mon portefeuille, et
je ne voulais appeler personne. Je voulais rester
là, dans cette nouvelle maison, glauque, mais
moins que la mienne qui ne m'appartenait plus.
Je n'étais plus Sylvie Meyer et je ne voulais
plus le redevenir. Une page se tournait et je me
sentais bien. Ils m'ont demandé, à nouveau, de
décliner mon identité, ce que j'ai fait, ils ont
pris mes empreintes, m'écrasant les doigts pour
bien me faire comprendre que c'étaient eux qui
faisaient la loi et pas moi. Je n'avais pas peur, ils
l'ont compris, ça les énervait encore plus, puis
on a quitté le bureau, pris un couloir assez long
qui me semblait devenir de plus en plus étroit,
c'est là que je me suis souvenue que je n'avais
pas mangé depuis très longtemps, je n'ai rien dit,
je ne voulais rien leur demander. Le plus brutal
des deux m'a prise par la taille et m'a poussée

derrière une porte coulissante, vitrée avec deux verrous en disant : *Tu as la nuit, voire plus, pour réfléchir connasse.*

J'ai retrouvé le puits. Je me sentais mieux. Je me suis endormie.

C'est le bruit des verrous de la porte de la cellule qui m'a réveillée. C'est un autre flic, que je n'avais encore jamais vu, qui m'a lancé : *On prolonge la garde à vue, la loi nous en donne le droit. On va vous apporter à boire et un sandwich, ça ira ?* Je n'ai pas répondu, ou non, je crois que j'ai fait oui de la tête, car j'avais très soif, toujours pas faim, mais très soif. J'ai pensé à mes fils, à mon mari, je me suis dit qu'ils devaient être au courant à présent et j'ai senti quelque chose en moi se craqueler, comme si on avait jeté une pierre contre une vitre qui se lézarde avant de se briser.

Quand il a ouvert la cellule, cela ne m'a pas frappée immédiatement, mais je me suis sentie oppressée, et cela n'avait rien à voir avec le fait que je sois enfermée. J'étais bien là où j'étais. On me prenait en charge, ou on allait en tous les cas

113

me prendre en charge. Je n'avais plus rien à gérer. C'était reposant, étrange, mais reposant. Et puis il y a eu cette oppression quand le flic est entré pour me parler. Et puis elle est revenue, encore plus forte quand il m'a donné la bouteille d'eau, le sandwich. Il se tenait debout, devant moi. Il m'a regardée, sans rien dire et puis il a refermé la porte, les verrous. Et je me sentais encore plus oppressée, mais une fois de plus, ce n'était pas à cause du fait d'être enfermée. J'ai vite compris et relié les choses, je ne suis pas bête. C'était son odeur qui m'étouffait. Je la connaissais trop bien cette odeur, elle m'avait longtemps suivie, j'avais eu beau me laver ce soir-là, frotter ma peau, elle était restée sur moi, en moi. Une odeur forte, de transpiration, et je précise que tous les hommes ne l'ont pas. Mais lui le flic l'avait comme l'Autre. L'Autre.

C'est le moment de parler de la violence. Je suis prête. J'ai les mots, la force. Je n'ai plus rien à perdre. La violence que j'ai connue, que l'on m'a enseignée, que j'ai essayé d'oublier, sans y parvenir, voilà ce dont je vais enfin parler. C'est à cause d'elle que j'ai tout perdu. Elle s'est larvée en moi et a ressurgi avec Andrieu. Il fallait bien, un jour ou l'autre, que je me venge. Cette violence a une histoire. Ce n'est pas la plus belle

de mes histoires, mais elle reste la plus grande car
elle a tout emporté avec elle.

Dès mon plus jeune âge, j'ai pris l'habitude
d'aller à la rivière, à quelques kilomètres de chez
nous. Au début c'était avec mes parents, mon
frère, mes sœurs. On allait dans l'endroit réservé
aux familles. Il n'était pas vraiment réservé d'ailleurs, mais toutes les familles s'y retrouvaient
pour la tranquillité. Il y avait un endroit plus
secret, qui me faisait rêver, mais interdit car on
disait qu'il s'y passait des choses qu'un enfant
n'était pas en âge de voir. Je n'avais pas tout de
suite saisi de quoi il s'agissait, j'étais assez naïve à
vrai dire, mais cet endroit m'attirait.
J'imaginais toutes sortes d'histoires, de
monstres et de fées, jamais d'hommes et de
femmes qui pouvaient s'y rencontrer. Nous
avions une limite à ne pas dépasser. Nous ne la
dépassions pas. Quelques mètres autour de la
rivière mais pas plus. Nos dimanches au bord
de l'eau ressemblaient à tous les dimanches en
famille, sauf que je savais que mes parents ne
s'entendaient plus, et je l'ai dit, je trouvais cela
émouvant qu'ils fassent semblant. L'amour
n'était pas éternel, le mariage ne tenait pas
toujours ses promesses. Mes parents restaient
ensemble, ne montraient rien, et d'ailleurs je

leur en veux de ça. Ils auraient dû montrer, dire, pleurer devant nous. J'aurais eu les armes pour me battre et garder mon mari. Le mensonge est la pire des choses. C'est un truc qui poursuit, on a beau savoir que ce n'est pas bon, on réplique. Moi je n'ai fait que répliquer. J'ai tant menti. Voilà pourquoi j'en suis aussi là aujourd'hui.

C'était beau la rivière. J'allais pêcher avec mon père, rien ne mordait au bout de nos lignes, il y avait tant de bruit autour de nous, mais mon père avait les mots, il disait que les choses arrivent quand on est patient et calme et que j'étais une petite fille trop nerveuse qui faisait fuir les poissons. Je le croyais, mais ni mon impatience ni ma nervosité ne faisaient fuir les poissons. La rivière était vide et un jour j'allais la remplir avec mes larmes. Parfois nous restions jusqu'à la tombée de la nuit quand il faisait trop chaud pour rentrer à la maison. J'adorais ces moments. Le bonheur existait malgré les mensonges de mes parents, à cause des pins chauffés, de la lumière des petits barbecues qui s'allumaient les uns après les autres comme des feux de joie, des rires des enfants excités et des adultes qui buvaient, se parlaient enfin car la nuit rassemble, on le sait. Tout paraissait si paisible et même si la rivière n'avait plus de poisson elle coulait si près de nous avec ce bruit si particulier qui fait penser que la nature veille parfois sur nous. Je détestais quand nous devions partir, traverser la forêt, croyant que nous dépassions la limite qui nous séparait des monstres et des fées. Mais rien n'arrivait. Et comme rien n'arrivait j'avais toujours cru que la rivière me protégerait, même en m'y rendant plus tard, l'été de mes quinze ans sans mes parents. Nous étions une bande d'amis, du lycée et des villages voisins, chaque été une fille ou un garçon se greffait à nous. Notre groupe augmentait en nombre et c'était sécurisant, nous formions une tribu. On avait tous fini par s'embrasser, filles et garçons, parfois même des filles et des garçons ensemble, mais ça ne choquait personne c'était juste les sentiments qui circulaient. On était libres.

Cet été-là, il y eut une sorte d'accélération. Oui, je peux appeler cela comme ça. Il faisait plus chaud, plus lourd que d'habitude. Le désir était partout, remplissait tout, c'était obsédant, ça faisait presque mal. On allait tôt à la rivière dans l'endroit où il ne fallait pas aller. Il n'y avait ni monstre ni fée, mais juste nous à genoux sur les cailloux pour s'embrasser. Certains couchaient, pas moi, je ne voulais pas, j'embrassais juste, mais je rentrais à la maison, les genoux blessés. Puis j'y retournais le lendemain, je ne cherchais rien, je ne trouvais rien, je vivais ma jeunesse et c'était bon. De sentir une langue sur ma langue. Un ventre contre mon ventre. Et c'était bon de se retenir aussi. Je croyais aux princesses sans vraiment croire aux princes charmants, je voulais garder ma pureté, non par conviction religieuse, nous n'en avions pas à la maison, d'ailleurs ça me manquait parfois, on était trop liés à la terre, au désespoir de la terre plus exactement, mais peut-être pour me prouver que mes parents avaient eu tort, qu'ils se trompaient. Je croyais au bonheur. J'y croyais tellement. Je me sentais plus forte que la vie, et surtout plus forte que l'effort de vivre. Oui c'est un effort la vie, le quotidien, les habitudes, l'ennui qui s'installe et qu'on ne veut pas voir, pas reconnaître et qui finit toujours par gagner. C'est une sangsue cet ennui. Il suce tout et on ne s'en rend même pas compte jusqu'au jour où on se le prend en plein visage, et là c'est trop tard, on ne peut plus faire un tour de manège à l'envers parce que le manège ne fonctionne plus, et même s'il fonctionnait encore, on a perdu le ticket et on a plus le droit à un dernier tour parce que le guichet est fermé pour de bon.

Cet été-là, l'été de mes quinze ans, j'ai fait une rencontre. Il s'appelait Gilles, il avait trente-cinq ans. On était fasciné par son âge, les garçons parce qu'ils voulaient lui ressembler, les filles parce que c'était un défi de lui plaire. Il nous appelait Les gamins. Il était voyageur de commerce, vendait du matériel médical. Il traversait la France en voiture avec des paquets de médicaments, de seringues sur la banquette arrière de sa voiture qu'il garait tout près de la rivière, il connaissait un chemin dans la forêt, ce qui le rendait à nos yeux super fort car nous on ne le connaissait pas ce chemin et on se demandait comment il avait pu passer entre les pins. C'était une sorte de héros. Le héros de notre été. Il apportait souvent une caisse de rosé, des cigarettes et du chocolat, et nous on était comme des petits moineaux autour de lui. Il portait toujours un pantalon rouge foncé et un pull de marin, en laine, malgré la chaleur, il disait qu'il avait froid parce qu'il avait vécu en Afrique et que l'été en France c'était le pôle nord pour lui. Il portait autour du cou un grigri qu'une femme lui avait offert après une nuit « charnelle », j'avais retenu le mot car on ne l'employait pas, et c'était aussi magique que son amulette qu'il embrassait parfois pour conjurer le sort et nous protéger du malheur. Et on était là, tous, médusés à écouter ses histoires d'Afrique, de vaudous, de fleuve rouge de sang et de miracles. Surtout moi d'ailleurs. Je pouvais l'écouter pendant des heures, même seule, j'adorais sa voix, sa façon de me regarder, de remettre ma frange quand elle tombait sur mes yeux. Il avait les mains calleuses mais c'était doux et je gardais son empreinte sur mon front quand je m'endormais la nuit dans ma chambre. Je me disais que son amulette me protégeait et qu'un jour moi aussi je verrais l'Afrique, que je franchirais la frontière, que je m'évaderais de ce patelin où je ne pouvais pas espérer grand-chose sinon une vie comme celle de mes parents.

Je rêvais d'un autre avenir, même si je savais que c'était plié d'avance, que les rêves n'étaient pas pour les gens de mon milieu.

Je me suis vite aperçue que Gilles en pinçait un peu pour moi. La différence d'âge ne me gênait pas. Il disait : *Tu es comme une petite sœur, mais je ne te vois pas comme ma fille, je ne suis pas assez vieux pour ça, et toi pas si jeune finalement.*

Il m'appelait sa puce, son cœur. J'aimais bien car les autres étaient vertes de jalousie. Je dois avouer que j'en jouais un peu. Je ne voulais rien faire avec lui, pas coucher, mais c'est vrai, je dois être honnête, plus les jours passaient, plus j'avais envie de l'allumer. Le matin, quand je me réveillais, j'étais excitée à l'idée de le retrouver. Il était devenu le mentor de notre bande et cela me donnait de la valeur.

Je le trouvais mieux que mon frère, mieux que mon père. Il avait voyagé, il semblait libre, fort, insaisissable. Il avait mille projets. Cela le rendait beau, attirant. Je me sentais bien avec lui, apaisée, pourtant je voyais très bien qu'il avait l'habitude de baratiner, qu'il devait à chaque fois sortir les mêmes histoires quand il rencontrait de nouvelles personnes. Parfois je me disais aussi qu'il mentait. Mais j'aimais l'éventualité qu'il soit un menteur. Cela le rendait encore plus séduisant.

Il avait les yeux très verts, comme troués de l'intérieur, j'y voyais les fleuves de l'Afrique y couler, et parfois mon reflet quand je le regardais de très près, qu'il me tirait à lui par la taille, que je pouvais sentir son haleine un peu alcoolisée, mais ce n'était pas gênant, et son odeur de transpiration qui faisait de lui un homme véritable, mûr pas comme les garçons qui m'entouraient. C'était ça qui m'attirait je crois, son âge. Il n'essayait jamais de m'embrasser. Quand il me regardait marcher il lançait : *Tu as un beau cul, mais je n'y toucherai jamais.*

L'été est passé, quelques couples se sont formés, certains ont quitté la bande pour une autre, de l'autre côté de la rivière. On faisait des barbecues le soir, Gilles s'occupait de tout, il buvait beaucoup, tenait bien l'alcool, et il nous faisait boire, remplissant nos verres dès qu'ils étaient vides, je le laissais faire, le rosé me donnait une gaieté que je n'avais jamais ressentie jusqu'alors, un truc qui sortait vraiment de l'enfance, une joie d'adulte je crois que c'est ce que je m'étais dit à ce moment-là, c'était comme si je quittais un peu ma vie, le village, ma famille et me rapprochais de cet homme que je ne désirais pas, mais qui avait l'intelligence de me donner un statut particulier : celui de la fille la plus intéressante de la bande.

Il disait que j'avais quelque chose en plus, une forme d'esprit, qui, il en était certain, me mènerait vers un grand destin. Je ne le croyais pas, mais ça me faisait du bien d'entendre cela. C'était comme s'il me donnait une chance. Une chance de croire en moi. Une chance de croire en des jours meilleurs. Une chance de ne pas répéter les erreurs de mes parents. Une chance peut-être de devenir quelqu'un. Parfois, quand il faisait très chaud, il nous arrivait de nous baigner tard dans la nuit. Gilles ne nous rejoignait pas, il se tenait près de la rivière pour nous surveiller disait-il, moi je savais que c'était pour nous mater.

Il ne quittait pas son pull, c'était bizarre, mais tout le monde s'en foutait. Il avait cette façon d'imposer aux autres ce qu'il était, sa différence, et on respectait. Pire on était en admiration. Je dis pire car l'admiration est un poison. Parce que l'on ne se méfie pas de quelqu'un que l'on admire. C'est le mépris qui fait tenir sur ses gardes, la peur aussi, évidemment, mais pas l'admiration. Et je n'ai jamais eu peur de Gilles, jamais durant tout l'été en tous les cas. Il n'était pas menaçant, un peu décalé par rapport à nous, mais j'y voyais un truc fragile. J'étais la seule à le voir, mais je le voyais. C'était presque émouvant, alors que Gilles n'avait rien d'émouvant. Il cachait une histoire, un passé, j'étais jeune, mais je le sentais. Il avait les mots et je trouvais cela puissant. Moi j'étais empêtrée dans mon langage, incapable d'aligner deux phrases correctes, par timidité et aussi, je crois par habitude. On ne se parlait pas vraiment à la maison, pas de choses importantes, intimes, on se regardait à peine sauf cet été-là où ma mère me mettait en garde quand je partais à la rivière – elle disait que j'étais à un âge dangereux. Trop jeune pour m'apercevoir du danger, trop vieille pour y renoncer. Je ne comprenais pas le sens de sa phrase, mais je savais qu'elle faisait référence à Gilles. Elle m'avait vue un matin monter dans sa voiture. Vers la fin des grandes vacances, il venait me chercher et nous allions ensemble faire les courses. Nous devions former un drôle de couple, mais je m'en foutais. Il n'avait aucun geste déplacé. Pourtant cela aurait été facile dans sa voiture. Rien. Parfois il passait sa main sur ma joue, comme un père aurait pu le faire ; je savais bien que ce n'était pas mon père, il ne lui ressemblait pas du tout, mais c'était ce que je ressentais quand j'étais avec lui dans sa voiture, sauf que là j'occupais la place du passager, celle que ma mère occupait d'habitude. C'était fini l'enfance, j'étais devant, face à la route et on traçait avec Gilles sans parler, sans musique, juste nous deux dans l'été finissant. Il devait remonter bientôt dans le Nord pour son travail. Sa voiture était un peu sale, mais ça ne me dérangeait pas. J'étais bien avec lui, et je ne voulais pas plus. Je n'attendais pas plus. Il ne m'attirait pas plus que ça, mais j'avais besoin d'être avec lui, d'être avec un homme qui me considérait.

Les filles de la bande ont commencé à prendre leurs distances. Un jour un garçon m'a dit que je cachais bien mon jeu et que j'étais bien plus chaudasse que j'en avais l'air. Gilles l'a tout de suite remis à sa place. C'était ça que j'aimais chez lui, il me défendait comme personne ne m'avait jamais défendue. Alors je ne me suis pas méfiée.

Je l'ai déjà dit, il ne me faisait pas peur. J'avais une entière confiance en lui. À ses yeux, j'étais intouchable.

C'est arrivé avant de nous rendre à la rivière. Nous sommes passés au village pour les courses, comme d'habitude, et puis il m'a proposé de m'emmener là où il vivait quand il séjournait dans la région. Ce n'était qu'à quelques kilomètres. C'était important, pour lui, après toutes ces semaines passées ensemble de me montrer où il habitait. C'était une marque de confiance et d'amitié. Je trouvais ça un peu lourd, mais comme cela avait l'air de lui faire plaisir, j'ai accepté. Je ne craignais rien, j'en étais persuadée. Je ne me sentais pas en danger, mieux je me sentais en sécurité, les garçons de mon âge ne savaient pas se contrôler, bourrés avec eux tout pouvait arriver. Gilles était mûr et il disait qu'il fallait respecter les femmes plus que tout, car elles donnaient la vie, et que cela les rendait plus proches de Dieu que les hommes. Les femmes étaient des anges et moi disait-il j'en étais la représentation la plus subtile. Aucun mec ne m'avait jamais parlé comme ça. Aucun. Alors j'ai accepté d'aller voir où il vivait. Par curiosité et un petit peu par orgueil aussi. Personne n'était allé chez lui. Je me suis sentie flattée.

Nous avons roulé une vingtaine de minutes. Le siège de la voiture collait à l'arrière de mes cuisses car il faisait déjà chaud. Assise, ma robe à bretelles remontait. Je me souviens que Gilles, pour la première fois, portait une chemise dont il avait retroussé les manches, il avait chaud, plus que d'habitude avait-il dit, et je trouvais qu'il sentait aussi plus que d'habitude. C'était une odeur forte de transpiration. Il fumait comme mon père, le bras à l'extérieur de la vitre. Je regardais la route, on était en pleine campagne. Les troncs des platanes étaient peints en blanc, ce qui, à force de les regarder défiler, m'avait donné un peu la nausée. Il a bifurqué sur la droite, pris un petit chemin de terre, pas goudronné, ça remuait beaucoup dans la voiture, et avec l'odeur de Gilles, j'ai cru que j'allais vomir. Je me suis alors retournée pour prendre le pain qui était sur la banquette arrière et j'ai senti qu'il me regardait, le dos, les épaules, les fesses. Mais juste senti, je n'ai pas vu s'il me regardait vraiment. Puis je me suis dit que je me faisais un mauvais film et que je n'avais rien à craindre. Gilles était peut-être un peu bizarre, mais c'était un type bien. Cela se voyait à son côté galant : il tenait toujours la porte, veillait à ce que personne ne manque de rien, allumait les cigarettes des filles.

126

Un type bien. Mieux que tous les petits cons de mon âge. Alors je m'en suis voulu et me suis rassise sur mon siège sans rien dire.

On était entre deux champs, la rase campagne, la vraie, pas une ferme dans les environs, pas un seul paysan sur son tracteur non plus. L'orage allait arriver. Gilles sifflotait, il avait l'air heureux, moi aussi je me suis sentie heureuse et ma nausée est passée.

Après les champs, il y avait une petite clairière, l'herbe était brûlée, les arbres coupés, on aurait dit une sorte de terrain abandonné, que l'on ne pouvait plus cultiver, sur lequel n'importe qui aurait pu construire une maison un peu sommaire, mais une maison quand même, avec des parpaings apparents, un toit auquel manquaient des tuiles, une porte en bois, deux petites fenêtres dont l'une avec un carreau cassé, un câble qui courait sur la façade, deux seaux à l'entrée, et pas loin un fil accroché à deux piquets sur lequel pendait du linge : des slips, un maillot de corps, deux pantalons rouge foncé et une serviette de bain avec un visage en forme de soleil. C'était la maison de Gilles. Il a dit : *Ce n'est pas le grand luxe, mais pour un mois dans l'année c'est amplement suffisant.* Je trouvais ça bizarre de me montrer son taudis, ça le desservait, mais je n'ai rien dit, et j'ai quitté, comme lui, la voiture qu'il avait garée près d'un trou qui ressemblait à un puits.

Je me suis un peu tordu la cheville en marchant, Gilles s'est arrêté et il m'a demandé si tout allait bien, si je voulais il pouvait me porter comme une princesse jusqu'à chez lui. J'ai trouvé ça mignon, et ça m'a rassurée, même si je me demandais ce qu'on faisait là.

Quand il a ouvert la porte, que l'on est entrés, j'ai tout de suite reconnu son odeur de transpiration. Ma nausée est revenue, mais je n'ai rien dit. La maison était faite d'une seule pièce, assez sombre, fraîche et ça faisait du bien cette fraîcheur. Il y avait une table avec plusieurs verres, deux bouteilles de vin vides, dans l'évier des assiettes sales et une boîte de sardines. Il y avait aussi un matelas à même le sol, un drap en boule, mais je n'ai pas trop regardé, c'était gênant. Gilles m'a donné une chaise, et m'a demandé si je voulais boire un truc, j'ai demandé un verre d'eau et il m'a dit que je n'étais pas marrante, il avait des bières au frais, je trouvais que c'était un peu tôt, il a répondu : *Fais comme tu veux, moi j'en prends une.*

J'étais assise à la table, c'était bizarre de voir tous ces verres et ces cigarettes dans le cendrier, car Gilles disait qu'il ne connaissait personne dans la région, à part nous, sa bande de gamins. Je me suis dit que c'était peut-être tous ses verres à lui, qu'il n'avait pas pris la peine de ranger. J'ai pensé que ses histoires d'Afrique n'existaient pas du tout. C'était un pauvre type, une sorte de sdf qui devait squatter des taudis qu'il trouvait sur son passage. J'ai commencé à me sentir un peu mal, il a dû s'en apercevoir parce qu'il m'a dit : *Je te laisse, je vais pisser dehors.*

Quand il est parti, j'ai entendu le verrou de la porte. J'ai alors pris deux gorgées dans sa bière. J'étais terrorisée. Quand il est revenu il a dit : *Ah je préfère ! J'en ouvre une pour toi toute seule et on va trinquer, c'est tellement bon de te voir là, de partager ça juste avec toi.*

J'ai essayé de croire que c'était bon, j'ai essayé de chasser ma nausée, je me suis alors levée, j'ai pris la bière qu'il me tendait, et j'ai bu une plus grande quantité, elle était bien frappée, je me suis sentie un peu mieux jusqu'à ce qu'il retire la clé de la porte fermée à double tour et la mette dans la poche avant de son pantalon. J'ai fait comme si de rien n'était. Et j'ai commencé à parler pour gagner du temps.

Je garde à peu près en mémoire chaque mot de cette conversation que j'essayais de tenir le plus longtemps possible car je savais que sa fin serait le début de ma propre fin.

On a parlé, longtemps. Il m'a dit que mes amis n'étaient pas de vrais amis, que je me trompais sur toute la ligne, que ce n'était pas ça l'amitié, qu'un ami on pouvait compter sur lui de jour comme de nuit et qu'il voyait bien que les filles et les garçons de la rivière ne me calculaient pas trop. Je lui ai répondu que je n'étais pas d'accord, il a commencé à parler plus fort puis s'est calmé. C'était lui mon véritable ami, lui seul, il ne voulait que mon bien, vraiment, à l'inverse de tous ces connards qui ne pensaient qu'à me sauter. Lui il était différent. Il était capable de sentiments. Parce qu'il connaissait la vie et que des filles comme moi il n'en avait pas beaucoup connu. J'étais sa puce, son bijou. Il allait bien s'occuper de moi car je le méritais, il l'avait senti, dès nos premiers regards. Il n'aimait pas cette mélancolie en moi, ce n'était pas normal à mon âge. Je lui ai dit que j'étais d'accord pour tout et que j'acceptais son amitié. Je me demandais comment je pouvais m'enfuir, les fenêtres étaient minuscules, la porte fermée à clé, la clé dans sa poche avant, impossible à piquer. Je gagnais du temps. Je lui ai dit que j'étais flattée qu'un homme aussi bien que lui s'intéresse à moi, que cela ne m'était jamais arrivé et ne m'arriverait certainement plus jamais, qu'il était spécial et que je lui faisais confiance plus qu'à n'importe qui, pensant qu'il aimerait se sentir flatté. Évidemment, je me trompais. Il a recommencé à s'énerver, à crier un peu, toutes les femmes étaient compliquées, il avait tant morflé à cause d'elles, il n'en voulait plus, seule l'amitié comptait, bande de salopes, il les détestait, surtout ces petites connes de la rivière qui se trémoussaient avec leurs petits culs dans leurs petits shorts bien moulés, juste pour l'exciter, mais ça ne l'excitait pas. Il préférait l'excellence, le truc unique, disait que je m'en rapprochais, et quand il pensait à moi cela était si fort que ça lui montait à la tête et qu'il n'arrivait plus à dormir à cause de moi.

Pour le calmer je lui ai demandé s'il avait reçu quelqu'un, à cause de tous les verres sur la table, il m'a répondu que des potes étaient passés, tard dans la nuit alors qu'il venait de rentrer de la rivière, qu'il était crevé, mais on ne refuse rien à des potes car seule l'amitié comptait, d'ailleurs il avait parlé de moi et l'un d'eux voulait me rencontrer. Quand il a dit que le type en question allait venir bientôt, je me suis levée, j'ai couru vers la porte, je savais qu'elle était fermée, mais j'ai fait semblant de ne pas savoir, il a hurlé : *Tu glandes quoi là ?* J'ai dit tout doucement : Moi aussi, je crois que je dois aller faire pipi. *Ma puce, pas de tout de suite, après, viens avant me faire un câlin, j'en ai besoin là.*

Je sentais son odeur, c'était fini pour moi, mais j'ai tenté un dernier coup, je me suis dit qu'en étant douce je pourrais lui embrouiller la tête, prendre la clé, m'enfuir. Je me suis approchée de lui, il a pris mon bras, a collé sa bouche contre ma bouche, l'a ouverte avec sa langue. Ensuite il a pris ma tête entre ses mains, s'est levé et s'est collé contre moi, son sexe était dur, il a arraché les bretelles de ma robe et dans mon dos j'ai senti des ongles aussi longs que ceux d'une femme.

Je n'arrivais pas à bouger, à me défendre. *Tu vois, tu es une vraie salope, comme les autres, tu veux hein ? Tu veux que je te le fasse ?* Et rien ne sortait, rien ne bougeait en moi, j'étais à lui, pour lui, et il a continué à hurler : *Tu vois, t'es comme les autres, c'est ça que tu veux, hein ? Tu la veux Elle en toi, pour devenir une vraie femelle qui se pavanera devant les autres femelles car elle l'aura fait et que vous serez à égalité. Elles veulent toutes ça les filles de ton âge, ça joue les mijaurées, mais c'est que dalle, vous revenez toujours au même truc qui vous obsède, et moi je vais te dire, ça me dégoûte. Ouais tu me dégoûtes Sylvie.*

Je me suis dit que je pouvais encore m'en sortir, alors j'ai caressé son visage et je l'ai regardé bien droit dans les yeux. Il m'a poussée vers la porte, j'ai pensé que nous allions sortir, que c'était bon, que je pourrais oublier tout ça, pas le revoir non, mais oublier, ce n'était pas si grave finalement, mais il a sorti un de mes seins de mon soutien-gorge, l'a tété, longtemps, il y avait toujours cette odeur, ma nausée, j'ai pensé aux platanes peints en blanc pour éviter que les voitures ne s'y écrasent dans la nuit, mais c'est moi qui étais en train d'avoir un accident. Puis il a mis sa main dans ma culotte. *Tu n'auras que ça car tu ne la mérites pas. Elle est trop bonne pour toi, et je ne veux pas te faire de bien.* J'ai senti ses doigts à l'intérieur de moi, deux, puis trois. Ils tournaient sur eux-mêmes comme s'il cherchait quelque chose. Cela n'a pas duré longtemps. Il les a retirés d'un coup sec en disant *Voilà*.

Il a ouvert la porte, dehors la terre était trempée, l'orage avait éclaté sans que je ne l'entende, j'ai serré ma robe sous mes aisselles pour qu'elle tienne, on a marché vers la voiture sans un mot, j'ai senti le ciel tout près de moi. J'aurais pu le toucher le ciel. Le chemin de retour m'a semblé plus long. Il fumait, toujours le bras sorti, j'espérais qu'un camion passe un peu trop près et le lui arrache. Il avait ce tic avec la bouche, qui faisait un petit bruit, il claquait sa langue contre son palet, et c'était surtout ça qui me dégoûtait, sa langue. J'avais froid, je grelotais. Je tenais mes bras croisés sur mes seins qui me faisaient mal. Il m'a laissée devant chez moi, sans un regard, j'avais envie de lui cracher au visage, mais j'avais trop peur de sa réaction, alors je n'ai rien fait. Par chance la maison était vide. Tout le monde était dehors, c'était encore l'été et moi j'avais si froid. Je me sentais sale, pas salie non, sale. Je me suis enfermée dans la salle de bains. Je n'ai pas osé me regarder dans le miroir. Je me sentais coupable. J'ai retiré ma robe déchirée. Le sein que Gilles avait sucé était rouge. Quand j'ai retiré ma culotte, il y avait du sang qui dessinait une étoile dans le fond. Une étoile avec des branches tordues et irrégulières mais une étoile quand même. Ce n'était pas un grand dessin. Cela m'a étonnée car je croyais que l'on perdait beaucoup plus de sang en perdant sa virginité. J'ai passé de l'eau chaude sur mon corps entier, vidé la bouteille de savon liquide puis je me suis enfermée dans ma chambre. Je n'ai pas pleuré, j'ai caressé mon sexe, j'ai essayé de me donner du plaisir, c'était un réflexe étrange, mais je n'ai pas cherché à comprendre. Ce soir-là, à table, personne n'a rien vu. Ma mère m'a juste dit : Tu as bonne mine. Cela te réussit les vacances. Je n'ai pas répondu et j'ai compté les jours qui me séparaient du lycée.

Les années ont passé, j'ai fait semblant d'oublier. Quand, le jour de mon mariage, j'ai taché ma robe avec une cerise, j'ai compris que Gilles me contrôlait encore. Et quand le flic est venu m'apporter le sandwich et la bouteille d'eau, c'est encore Gilles qui se tenait devant moi. Et je me suis dégoûtée parce que pendant un quart de seconde j'ai eu envie de lui.

Les Jours d'après

Cela ne ressemble pas à une prison, mais c'est une prison quand même puisque je n'ai pas le droit d'en sortir, que mes horaires sont fixes, mes promenades limitées. La fenêtre de ma chambre comporte des barreaux. Ils sont au nombre de quatre, noirs et épais, impossibles à scier si j'en avais le désir. Désir que je n'éprouve pas. Je me sens à l'abri ici. Je n'ai pas compris en quoi consistaient mes soins, mais j'ai tout de suite accepté mon traitement quotidien. Une pilule à différents moments de la journée, sûrement pour calmer mes nerfs pourtant je ne me suis jamais sentie aussi tranquille. Je ne me pose pas de questions. Je ne veux pas savoir. À vrai dire cela ne m'intéresse pas ou plutôt plus, je suis arrivée à la fin de quelque chose et je n'attends le début de rien. Pour la première fois je me tiens sur le point fixe d'une ligne et je ne veux pas m'en éloigner. J'y suis bien, en équilibre et si je suis honnête je peux dire que je n'ai jamais été aussi bien. Jamais. Même quand j'ai accouché de mes deux fils. Pourtant je m'étais dit que cela resterait à tout jamais les plus beaux jours de ma vie, les plus complets, que rien ne pourrait plus m'apaiser que d'avoir donné naissance à deux reprises, que c'était un tel miracle, une telle joie, que mon corps l'enregistrerait comme une sorte de carapace contre l'adversité. La carapace s'est brisée et l'adversité a gagné. Et j'ai oublié le miracle, même si j'aime mes fils plus que tout. Je ne sais pas s'ils sont venus me rendre visite. Je ne m'en souviens plus. Pareil pour mon mari. Oui je dis encore « mari », car je le vois ainsi, c'est gravé et cela ne changera pas. Je n'ai qu'un seul mari et n'en aurai qu'un seul. Alors, c'est vrai, ici je me sens bien au chaud. On ne me demande pas grand-chose. Il y a des entretiens parfois avec un médecin. Il m'ausculte, le ventre, le cou, les yeux, me pose des questions auxquelles je ne réponds pas. Ce que j'apprécie c'est qu'il n'insiste pas et qu'il me laisse regagner ma chambre sans un mot. C'est si rare. Dans la vie on a toujours besoin de donner un sens à ce que l'on dit, à ce que l'on fait. Il faut toujours expliquer. On n'est jamais libres de rien. Moi je n'ai pas à expliquer mon geste sur Andrieu. J'avais envie, c'est tout.

Parfois j'ai le droit de sortir dans le jardin. Il est grand, bien plus grand que celui que l'on avait à la maison et que je regardais depuis la fenêtre de la cuisine, les yeux dans le vague, quand je prenais mon café debout, seule, avant de partir à la Cagex. Il y a des peupliers qui plient sous le vent et je trouve que c'est très poétique ; eux sont libres, et embrassent le ciel comme aucun humain ne pourra jamais le faire, nous sommes si petits face à la nature, si minables aussi quand nous la détruisons. Je trouve que c'est important moi la nature. C'est comme une mère. D'ailleurs, un jour, elle se vengera. Les mères maltraitées se vengent toujours. C'est ce que j'ai fait. J'ai tout détruit, en une seule nuit. Je sais que cela ne se dit pas, mais j'aime ne plus être une mère aujourd'hui ou en tous les cas d'en avoir perdu le statut. C'est comme si je vivais enfin, comme si je vivais pour moi seule. Personne au bout du compte ne vit pour soi. On a toujours besoin du regard de l'autre pour se sentir exister. C'est toujours l'histoire du cordon. On le coupe et très vite il faut en reconstruire un autre parce que le vide fait si peur. Je n'ai pas peur, j'aime le vide qui m'entoure, il est plein de moi et j'aime avoir l'entière conscience de moi. Je suis dans mon propre espace et dans mon propre manque. Je n'attends rien de personne et je peux me remplir de moi comme je peux fuir de moi. Je suis solide et liquide à la fois. Je peux épouser toutes les formes et n'être rien. Ce n'est pas grave. Cela ne compte plus. Tout s'achève enfin, pour recommencer ou ne pas recommencer. Les peupliers font du bruit la nuit. Leurs feuilles ressemblent à du papier calque que l'on froisse. C'est doux. Mon lit n'a qu'une seule place et je ne dors plus sur l'ombre de mon mari. Tout s'emboîte à présent, il n'y a plus de manque, plus d'attente. C'est comme si les mille morceaux de moi, avant éparpillés sur le sol, s'étaient rassemblés en un seul bloc. Je ne me suis jamais tenue aussi debout, sentie aussi vivante et pourtant je suis couchée. Je fais corps avec l'espace qui m'entoure, il est amoindri, mais cela me plaît car mon corps y a trouvé son endroit, comme moulé aux quatre angles de ma cellule qui ressemble à une chambre d'enfant, sans les dessins ni les couleurs, sans les jouets non plus, mais étroite et rassurante. Je n'ai besoin de rien. J'ai le droit d'écrire, ils m'ont fourni du papier et un stylo bille. Ils ont dit que c'était important de s'exprimer, ou de rester en contact avec l'extérieur. Je n'écris rien pour moi, mais je vais écrire à mon mari. Je n'écrirai pas à Andrieu, je ne lui dirai jamais que je regrette mon geste, que je suis désolée de lui avoir fait peur s'il a eu peur. J'en doute, Andrieu est incapable d'émotions. Il y a des gens ainsi, sur qui tout passe sans laisser de marque. Moi je suis si marquée, même le vent dans les peupliers pourrait laisser des traces sur ma peau. Je n'ai plus de paroi qui protège et je ne désire plus me protéger. C'est peut-être ça la vie, la vraie vie, c'est embrasser les êtres, les éléments, ne faire qu'un avec ce qui entoure, se faire traverser, pénétrer, tout prendre, tout garder, ne rien refuser, se laisser faire pour une fois. À cause de Gilles je n'ai jamais eu confiance en personne. Je pensais que l'on voudrait toujours me faire du mal ou que l'on y parviendrait. Et si c'est ce mal tardait à venir je l'espérais parce que j'en avais assez de l'attendre, de le redouter. Et je mettais en place tout un système par lequel il arriverait. Et c'est arrivé. Par ma faute sûrement. Pour avoir gardé Gilles au fond de moi sans réussir à l'expulser. Il se tenait bien au chaud sous mon ventre et je l'ai gardé. Je n'ai rien fait pour le faire partir. Si je dois être coupable, c'est bien de ça et uniquement de ça. D'avoir abrité un intrus. J'ai grandi, vieilli avec lui. Le corps fantôme. Je n'en avais pas conscience, mais maintenant je sais.

La lettre

Mon amour,

Tu vois, je t'appelle encore mon amour, tu le seras toujours, je ne peux pas penser autrement même si j'ai essayé de m'en persuader, de ne pas t'en vouloir, de faire comme si de rien n'était quand tu m'as dit que tu allais partir. Je n'ai pas tenté de te retenir, je le regrette. C'était normal que tu partes, mais en fin de compte ça ne l'était pas du tout. J'ai fait avec et je n'aurais pas dû. Je n'ai pas appris à lutter pour me faire aimer car je me suis toujours considérée comme pas aimable ni capable de recevoir l'amour, de le reconnaître quand il arrivait, d'en prendre soin quand il faiblissait. Je n'avais pas cette intelligence et cette patience que d'autres femmes ont peut-être, mais je ne suis pas la meilleure des femmes, pas la plus méritante non plus car je suis sûre que les sentiments se méritent et je t'ai négligé. On aurait dû parler, mais ni toi ni moi n'étions doués pour ça. Aujourd'hui alors que je suis en retrait, je devrais dire en retraite puisque l'endroit où je suis ressemble à une maison de repos, si j'oublie les barreaux, l'avocat qui passe me voir de temps en temps, l'interdiction de franchir les hautes portes coulissantes qui font que le jardin, malgré ses fleurs, ses peupliers, ses petits oiseaux qui chantent, ressemble à une forteresse, aujourd'hui, oui je te parle enfin. Je ne sais pas ce que je fais ici. Je sais que j'ai fait une connerie, mais je ne sais pas si ma place doit être vraiment là. Je ne sais pas si je la mérite. Et tu sais pourquoi ? Non évidemment que tu ne sais pas. Parce que je me sens bien ici. Je me sens en sécurité. Je crois que je ne l'ai jamais connue cette sécurité. Je sais que tu vas penser que je débloque, mais c'est la vérité. C'est comme si j'avais toujours cherché cet endroit, attendu ce moment, de ne plus appartenir au vrai monde qui pour moi devenait de plus en plus faux. Je n'y avais plus ma place. D'ailleurs c'est quoi avoir une place ? On est tous des déplacés, des décalés. On est tous tombés d'un arbre un jour. On a essayé de remonter, branche par branche sans y parvenir. C'est tellement difficile de savoir ce qu'on veut, ce qu'on attend, ce qu'on désire. Quand tu étais

144

près de moi, je ne te voyais pas parce que tu ne me voyais plus. On ne se regardait plus. C'était fini depuis longtemps nous deux. Je ne sais même pas si ça a commencé un jour d'ailleurs. Pourtant je te promets que je t'aimais. Mais je ne savais pas faire et toi non plus tu ne savais pas faire. Deux handicapés des sentiments. Depuis que je suis ici, j'ai l'impression que j'ai appris à parler, à dire, à mieux écrire aussi, tu as dû le remarquer en me lisant. Pourtant je ne parle à personne, mais je me parle enfin à moi tu comprends ? J'ai arrêté de me mentir. J'ai retrouvé mon secret que je suis encore incapable de te confier, mais je sais qu'un jour je pourrais, si ce jour existe. On ne sait jamais ce que l'avenir réserve.

Le jour de notre mariage j'ai eu un mauvais pressentiment. J'ai pensé que tout était gâché d'avance. La vie m'a donné raison. J'aurais pu, j'aurais dû changer le cours des choses, on peut toujours, je ne veux pas croire au destin et à toutes ces conneries du genre « c'était écrit ». Non, je ne veux pas. Je suis coupable, tu es coupable, on l'a construit à deux notre échec. Deux vies de forçats, voilà ce que nous menions. Mais je sais aussi que l'amour ce n'est pas que pour les autres. Ce n'est pas que dans les magazines ou dans les *télénovelas*. On se dit qu'avec un peu de chance, le vent tournera en notre faveur. Bien sûr qu'il ne tourne pas, mais sa force on peut toujours la sentir si on n'est pas trop fermés. Il était là notre amour, il n'avait pas de la gueule, mais quand même il ressemblait à quelque chose, les jours passaient, on a eu deux fils, une maison, peu de rêves c'est vrai, mais qui peut avoir de grands rêves aujourd'hui ? On n'a pas su l'attraper à temps, on ne l'a pas vu. Nous étions indifférents au bonheur. Nous n'avions pas le temps pour ça.

Je suis comme une enfant ici, c'est peut-être cela qui me plaît. Je me dis que je vais reconstruire ce que j'ai abîmé, cassé. Que j'ai peut-être encore une chance. Et tu sais, même si je ne l'ai pas, ce n'est pas grave, après tout je n'ai plus vingt ans, mes années sont derrière moi, elles n'étaient ni belles, ni moches, elles n'étaient rien et pourtant elles étaient tout car elles étaient avec toi.

Quand tu es parti, j'ai retrouvé l'été de mes quinze ans. C'était froid, mais j'avais la peau chaude comme si quelqu'un me serrait encore et m'aimait à sa façon.

Quand tu es parti je n'ai rien dit, je n'ai même pas pleuré. J'ai fait comme si de rien n'était. J'ai continué pour les garçons, peut-être un tout peu aussi pour moi. Mon travail comptait beaucoup, c'était ma force, je ne pouvais pas tomber. Je n'en avais pas le droit et surtout pas la possibilité.

Tout le monde se moque de la tristesse des autres. Cela ne compte pas. Il faut continuer à marcher, sinon on crève et moi je n'avais pas le droit de crever.

Je ne t'ai jamais demandé si tu avais rencontré quelqu'un, si tu m'avais remplacée, même si on ne remplace jamais personne car en principe chacun est unique. Je pense que oui car tu avais besoin de te sentir exister dans les yeux de quelqu'un. On n'avait plus trop de rapports physiques, pourtant j'aurais pu. Ce n'était pas un problème de baiser avec toi, et cela ne l'a jamais été, au début tout du moins. J'avais du plaisir. Je ne dis pas que je jouissais à chaque fois, mais cela me faisait du bien de te sentir. Je te l'écris car c'est rare. On ne peut pas vivre sans désir, ce n'est pas possible. Et je me demande d'ailleurs si l'amour et le désir ne marchent pas ensemble, main dans la main, comme deux amis, comme deux ennemis aussi l'un mangeant l'autre, l'un séparant l'autre, comment savoir, comment choisir ? Tu le sais toi, mon amour ? Moi je ne sais pas si on peut les séparer. Pour les hommes peut-être, pour nous, les femmes, c'est impossible. Je ne sais pas pourquoi d'ailleurs. Peur de passer pour des salopes peut-être. Salope je ne l'ai jamais été. Je ne t'ai jamais trompé. Et quand tu es parti je n'ai pas cherché à rencontrer quelqu'un. Je n'en avais pas envie, pire, je n'en avais pas l'idée. L'eau de la douche me faisait mal. L'air que je respirais me faisait mal. Mes mains sur le volant de la voiture me faisaient mal. La maison sans toi me faisait mal. Te retrouver à travers nos fils me faisait mal. Mon ventre sans toi me faisait mal. J'étais sans passé, je ne concevais pas l'avenir. Le temps n'existait plus et je n'avais même pas envie de tout laisser, d'abandonner, de me coucher sur le bas-côté de la route, je t'avoue, j'aurais préféré. Mais je ne sais pas lâcher et je ne voulais pas lâcher. Alors il y a eu cette nuit avec Andrieu et avec du recul je peux te dire, tant pis si cela te choque que j'aurais préféré coucher avec lui et remettre à niveau ce rapport que nous avions de dominant, dominé. Le pire dans l'histoire c'est que je finissais par le dominer. J'étais devenue plus forte que lui. J'étais devenue pire que lui. Et je rentrais à la maison tous les soirs avec la rage. Et cette rage je ne pouvais en parler à personne. Alors elle a gagné du terrain et a fini par éclater. J'aurais pu t'appeler, te raconter mais je n'en avais plus envie. Il m'arrivait de t'imaginer avec une autre. Je ne t'en voulais pas. Tu en avais le droit, après tout personne n'appartient à personne. Je n'avais pas de mal à t'imaginer. C'était comme un tableau que je regardais de loin. Je t'imaginais, un peu timide avec une femme plus jeune, à nos âges, elles sont toujours plus jeunes, c'est classique. Tu l'emmenais prendre un verre, la raccompagnais chez elle. Tu n'osais pas prendre sa main, tu étais encore l'homme d'une femme, de ta femme et un père surtout. Tu l'appelais tôt le matin, lui souhaitais une bonne journée, attendais toute la journée qu'elle te rappelle, mais elle ne le faisait jamais, les jeunes sont ainsi : difficiles. Un jour tu lui proposais un dîner, lui offrais un kir royal pour commencer, tu commandais son plat préféré même si ce n'était pas le tien, buvais un peu de vin, puis un peu ivre et un peu joyeux tu lui avouais que tu te sentais bien avec elle, même si ce n'était pas évident car tu sortais d'une histoire. Tu étais patient, tu avais tout ton temps et tu en avais tant perdu du temps avec moi. Tu te disais que les femmes sont un mystère mais qu'à force elles finissaient par céder, car dans ta tête et par ton éducation tu étais certain qu'une femme avait besoin d'un homme, et surtout d'un homme fort, ce que tu étais, je te l'avais souvent dit, à cause de tes épaules, de ta volonté, ta rigueur dans ce boulot de merde que tu faisais, mais qui t'avait permis de faire un crédit, d'acheter ta maison, ta voiture, d'offrir quelques vacances à la mer, pas assez souvent mais suffisamment pour que les garçons s'en souviennent et te remercient, de protéger ta famille même si on est à l'abri de rien. À force de persévérance, tu la sentais céder. C'était subtil, lent, mais cela existait. Puis c'est elle qui devançait tes appels, te rappelait dans la journée, t'écrivait un SMS « Tu me manques. Je crois que je suis en train de tomber amoureuse de toi même si je ne devrais pas ». Elle occupait peu à peu ton territoire et toi le sien. Puis tu as fini un soir par l'inviter chez toi, ce n'était pas très grand, mais c'était chez toi, ce n'était pas facile avec le crédit de ta maison, pas encore remboursé, ton salaire de misère, la pension que tu allais devoir pour tes enfants, mais ça allait tu étais libre. Au début, elle ne restait pas dormir et tu comprenais. Elle aimait que tu comprennes, tu le savais. Et puis un jour elle est venue un vendredi soir avec un sac plus gros que d'habitude et tu as compris qu'elle resterait dormir une nuit et peut-être le week-end entier, c'était une victoire pour toi, petite mais déjà grande, un pied dans l'avenir, tu en avais tant rêvé à cet avenir sans moi. Et tu avais raison, elle est restée. Tu avais un peu peur car les femmes font peur, elles sont compliquées, aucun corps ne se ressemble, chacun fonctionne à sa manière, il n'y a aucune règle, aucun mode d'emploi, il faut trouver et si on ne trouve pas c'est compliqué pour après. Pour l'amour. Tu ne voulais pas allumer la lumière, tu ne voulais pas voir son corps et qu'elle voie le tien, tu étais en train de m'effacer, mais cela te faisait de la peine car tu es nostalgique et sentimental. Vous vous êtes embrassés et tu as pensé à notre chambre, à nos soirs d'ennui et parfois de fête quand nous avions décidé que ce serait un peu plus la fête que d'habitude, à mon visage et à ma peau peut-être, mais j'en doute, tu ne me regardais plus, en tous les cas tu as pensé à nos habitudes et tu n'as pas aimé, alors tu as fermé les yeux, éteint la lumière et tu t'es allongé sur elle comme si elle était une île vierge, sans lien avec ton passé, ancrée à toi qui renaissais. Vous avez ri, déjeuné, dîné, refait l'amour, parfois tu bandais vraiment, parfois pas du tout, mais ce n'était pas grave, tu t'en foutais et elle aussi, d'ailleurs elle répétait souvent « ce n'est pas grave tu sais, ce sont des choses qui arrivent ». Ce que tu aimais le plus c'était l'embrasser, longtemps, comme un adolescent à ses débuts, ta tête tournait dans tous les sens et tu as regretté tous tes jours que tu avais perdus en restant trop longtemps avec moi. Et puis tu as chassé l'adolescent et tu es redevenu un homme, mais un homme que je ne connais pas. Tu l'as prise par la taille dans la rue, lui as offert des fleurs un jour quand tu l'attendais à la sortie de son travail, tu l'as emmenée dans un petit gîte au milieu des collines et tu lui as dit que tu aimerais bien refaire ta vie si la vie peut se refaire, mais ça, nous deux, on sait que non. Elle t'a cru, elle te croit, et tous les jours quand tu la regardes tu pries pour ne pas retrouver la tristesse qui mangeait mes yeux car c'est cette putain de tristesse que tu n'avais pas comprise dont je ne t'ai jamais parlé, qui a tout brûlé. Sois serein, vis ta vie, cette tristesse n'est qu'à moi et tu vois quand je t'écris j'aime qu'elle existe car cela veut dire que moi aussi j'existe encore un peu.

« Lumineux parcours initiatique que nous conte
une Nina Bouraoui à la sensibilité constamment à vif.
[...] Le livre se dévore. » Télérama

« Une prose envoûtante et lumineuse. » Lire

Cet ouvrage a été composé par PCA

Imprimé en France par
CPI BRODARD & TAUPIN (72200 La Flèche)
en mars 2020

pour le compte des Éditions J.-C. LATTÈS
17, rue jacob – 75006 Paris

JC Lattès s'engage pour
l'environnement en réduisant
l'empreinte carbone de ses livres.
Celle de cet exemplaire est de .
600 g éq. CO$_2$
Rendez-vous sur
www.jclattes-durable.fr

**PAPIER À BASE DE
FIBRES CERTIFIÉES**

N° d'édition : 06. – N° d'impression : 3038561
Dépôt légal : décembre 2019